Читайте романы мастеров закрученного сюжета

Анны и Сергея Литвиновых:

Осколки великой мечты

Быстрая и шустрая

Даже ведьмы умеют плакать

Кот недовинченный

Красивые, дерзкие, злые

Боулинг–79

Пальмы, солнце, алый снег

Наш маленький Грааль

Внебрачная дочь продюсера

Ревность волхвов

Ideal жертвы

Золотая дева

Я тебя никогда не забуду

У судьбы другое имя

Та самая Татьяна

Мадонна без младенца

Исповедь черного человека

Семейное проклятие

Сердце Бога

Сериал «Авантюристка»

Отпуск на тот свет

Все девушки любят бриллианты

Проигравший получает все

Второй раз не воскреснешь

Предмет вожделения №1

Оскар за убойную роль

Дата собственной смерти

Парфюмер звонит первым

SPA–чистилище

Вояж с морским дьяволом

Биография smerti

Девушка без Бонда

Три последних дня

Сериал «Спецкор отдела расследований»

Эксклюзивный грех

Рецепт идеальной мечты

Коллекция страхов прет-а-порте

Ледяное сердце не болит

Одноклассники smerti

В Питер вернутся не все

Через время, через океан

Небесный остров

Несвятое семейство

Сериал «Агент секретной службы»

Звезды падают вверх

Пока ангелы спят

Прогулки по краю пропасти

Трансфер на небо

В свободном падении

Она читала по губам

Вспомнить будущее

Аватар судьбы

Сериал «Паша Синичкин, частный детектив»

Заговор небес

Дамы убивают кавалеров

Бойся своих желаний

Сериал «Сага о любви и смерти»

Черно-белый танец

Предпоследний герой

Печальный демон Голливуда

Сборники детективных рассказов:

Любовь считает до трех

Все мужчины любят это

Миллион на три не делится

Плюс-минус вечность

Половина земного пути

Золотой песок времени

Анна и Сергей Литвиновы

Знаменитый тандем российского детектива

ИЗГНАНИЕ В РАЙ

Москва
2015

УДК 821.161.1-312.4
ББК 84(2Рос=Рус)6-44
Л64

Оформление серии *С. Груздева*

Литвинова, Анна Витальевна.

Л64 Изгнание в рай : роман / Анна и Сергей Литвиновы. — Москва : Издательство «Э», 2015. — 352 с. — (Знаменитый тандем российского детектива).

ISBN 978-5-699-82688-9

Особняк на морском берегу потрясающе красив и удобен. Технология «Умный дом» исполняет любое желание гостя! Именно его арендовал на лето Максим для своей любовницы Юны и их восьмилетней дочки. Снять роскошный особняк оказалось на удивление дешево. А о страшных слухах, что давно ходили о доме с видом на море, Максим предпочел умолчать. А еще он не предупредил Юну, что его жена сейчас готова на все, лишь бы отомстить разлучнице. Но странные смерти в шикарном особняке случались и раньше... Причем преступников не находили никогда! Не зря, видно, в маленьком городке ходит поверье: дом мстит всем, кто пытается в нем жить. Сможет ли Юна выяснить страшную разгадку прежде, чем гнев неведомого врага обрушится на нее саму?

УДК 821.161.1-312.4
ББК 84(2Рос=Рус)6-44

ISBN 978-5-699-82688-9

Жизнь у Ларисы рухнула в один миг.

Однажды вечером, когда женщина суетилась, подавая десерт, супруг вдруг заявил: их сыновья-близнецы едут учиться в Америку. Вопрос решен давно и бесповоротно, завтра нужно сдать паспорта на визы.

Мальчишки, ясное дело, взвыли от восторга.

Лариса взорвалась:

— С ума сошел? Им только по двенадцать!

Муж хлопнул по столу:

— А я тебе говорил, заставляй их *тут* английский учить. Сама виновата, не проследила.

Она поникла под его насупленным взглядом и больше спорить не стала.

Сборы, хлопоты пронеслись очень быстро, мальчишки отбыли в Калифорнию, дом опустел.

И вот впервые за долгое время за большим семейным столом они остались с мужем вдвоем. Макс, как всегда, косил глазом в планшет.

Лариса задумчиво произнесла:

— Улетели наши птенцы...

— Ага, — буркнул муж.

— Может, нам с тобой второй медовый месяц устроить? — улыбнулась она.

На лице у Макса отразился неприкрытый ужас:

— Лара, о чем ты?! У меня годовой отчет, собрание акционеров на носу.

Отодвинув тарелку с едва тронутым ужином, муж убежал в кабинет. Будто она не жена ему, а лютый враг.

И что теперь? Менять стрижку, подкачивать попу? Покупать кружевной халатик и танцевать для супруга стриптиз?

Лариса была готова. Но когда-то она училась математике. И решила прежде *просчитать* — ждет ли ее начинание успех.

На следующий день утром Максим заявил:

— У меня сегодня переговоры, буду поздно.

— Хорошо, — кивнула она.

Однако ровно в восемнадцать ноль-ноль подъехала к его офису.

Настроилась, что ждать придется долго — но с удивлением увидела: муж покидает службу строго по КЗоТу. Да еще и в руках несет не привычный портфель, но букет лилий, весьма внушительный.

Мелькнула слабая надежда: вдруг цветы предназначены ей?

Ага, с чего бы — если даже с днем рождения поздравить забыл?! И сейчас повернул он от офиса — совсем в другую сторону от дома.

Лариса, особо не маскируясь, последовала за ним. В столичных пробках что мужнина скоростная «Ауди», что ее неповоротливый «Форд-Куга» — все едино.

Ехать пришлось недолго — у Государственной думы муж резко перестроился влево и юркнул под шлагбаум парковки Большого театра. Лариса ринулась за ним, подрезала туристский автобус, разогнала клаксоном пешеходов. Пока искала, куда встать, муж испарился — она прибежала к пустой машине. Женщина продолжала надеяться: у Макса переговоры где-то в расположенном неподалеку ресторане, а транспорт просто больше поставить было негде. Но все равно: побежала она — в толпу, что волновалась, встречалась, перезванивалась на ступенях главного театра страны.

Народу перед вечерним спектаклем здесь собралось масса, но мужа Лариса увидела сразу. Рядом с ним стояла молодая светлокудрая женщина. В руках она держала тот самый букет лилий. А муж — *ее муж!* — подкидывал в воздух девчушку лет семи. Причем похож ребенок был на него как две капли воды: те же светло-зеленые глаза, вздернутый носик, волевой подбородок.

Лариса застыла.

— Лишние билетики, места хорошие, недорого, берем? — подхватил ее за локоток перекупщик.

Она молча стряхнула его руку.

— Вот деревня! — неодобрительно буркнул дядька.

А муж — ее любимый, ее центр вселенной, ее все — тем временем взял под руку свою светлокудрую спутницу (его дочка весело прыгала рядом) и придержал перед дамами тяжелую дверь главного входа.

А Лариса, забыв про свой автомобиль, кинулась

бежать. Мимо нового здания Большого театра, по Дмитровке, прочь, прочь. Дороги она не разбирала — слезы лились потоком.

Вот, значит, как! Молодая любовница, дочь, Большой театр! Предатель!

И что теперь делать? Уезжать в Америку к сыновьям? Нужна она там им! Требовать развода — и совсем окончательно остаться одной? Да Макс и не из тех, кто с одним чемоданчиком уходит, скорее он ее оставит без гроша. У человека серьезный бизнес, толпа юристов. А она — немолодая, без профессии, без связей, без доходов домашняя хозяйка. Умеет печь пироги и немного разбирается, спасибо сыновьям, в компьютерах. Негусто.

Лариса наконец остановилась. Осмотрелась. Ого, целый кросс пробежала: она уже на Пушкинской, бронзовый поэт взирает свысока, с насмешечкой. Слезы высохли. Решение — пришло само собой.

Пусть она ноль без палочки — но сдаваться нельзя.

Нужно бороться за Макса.

Всеми возможными способами.

* * *

Мне уже тридцать лет, а Максим до сих пор зовет меня Юночкой. А также солнышком, птенчиком, котенком и деткой. Иногда, конечно, приятно — благодарно помурлыкать, уткнуться уютно носом в мужское надежное плечо. Но в последнее время все чаще я злилась. Если сравнивать с его дородной, глубоко за сорок, супругой — я, конечно, птенчик. Но объективно — давно не малышка. Лоб прочертила первая морщина. Дочка пошла во второй класс. И на работе называют исключительно Юнной Михайловной.

А за спиной наверняка злословят, что вся моя успешная карьера — только благодаря грамотно выбранному любовнику.

Хотя это неправда. Я не выбирала Максима Петровича. Я просто в него влюбилась.

Мне было восемнадцать. Ровесники — бестолковые, безденежные, с громадьем глупых планов — раздражали безмерно. А тут встретился состоявшийся, уверенный в себе, импозантный мужчина.

Он стал моим *первым*. И до сих пор остается единственным. Подружки смеются: «Ладно бы мужу верность хранила, а то — любовнику!»

Но Максим мне, правда, оказался и отцом, и другом, и учителем. Разумеется, уверял — а я искренне надеялась, — что разведется.

Но нашей с ним *гипотетической* семейной жизни все время что-то мешало.

Сначала Максим взывал к моему состраданию. У него с законной женой — близнецы. Когда мы познакомились, им всего по два года было. Недоношенные, слабенькие, гипервозбудимые. Если отец уйдет, будет ужасная травма. Я терпеливо ждала. Даже сочувствовала, когда Макс приходил ко мне с синяками под глазами, — потому что дети болели отитом и всю ночь рыдали, не давали спать.

Но теперь близнецы выросли в здоровенных кабанов, учились за границей, а Максим по-прежнему не звал меня замуж. А я теперь и не настаивала.

Я реально *хотела* замуж за Макса — десять лет назад. Пять. Даже три. Но сейчас все. Перегорела. Устала от него.

Да и ровесники — *подросли*.

Я наконец стала видеть не одного только его, но и других мужчин. И насколько приятнее оказывалось смотреть на молодых, спортивных, приятно наглых, с горящими глазами самцов. Что за контраст с моим поношенным, усталым, рыхловатым Максимушкой!

Я не решилась разрубать износившуюся ткань наших отношений одним безжалостным махом. Просто начала потихоньку отдаляться от Макса. Однако любимый мой — чутье у него, как у всех успешных бизнесменов, исключительное — сразу занервничал. Взялся нас с дочкой баловать с утроенной энергией. Водил в театры (Маришка обожала балет), дарил ей игрушки, мне — цветы. Попытался всучить бриллиант — я отказалась. Он забеспокоился еще больше, и я честно сказала: нам нужно серьезно поговорить.

Договорились встретиться на следующий день тет-а-тет — когда дочка будет в школе танцев.

Но судьба вновь надо мной посмеялась.

Накануне решительного разговора моя Маришка вдруг страшно побледнела. Упала в кресло. И начала дико, безостановочно кашлять.

Я вызвала «Скорую». Врачи ошеломили: приступ астмы. Абсолютно неожиданно, на фоне полного, как потом написали в медицинской карте, здоровья.

Дочку хотели сразу забрать в больницу: «Корпоративной страховки у вас, конечно, нет? Тогда в обычную. Нет-нет, вас с ребенком туда не положат, там и так по десять детей в палате...»

Что оставалось делать растерянной матери? Конечно, я позвонила Максиму. Он, надо отдать ему должное, примчался мгновенно. И проблемам моим отдался самозабвенно, почти с радостью. За удивительное умение в сложный момент всегда приходить на помощь я и полюбила его когда-то. Очень быстро нашлась хорошая клиника с отдельной палатой для нас обеих, и личный врач появился — опытный старичок профессор. И перспективы: что болезнь вовсе даже не приговор. При грамотной терапии, постоянном наблюдении может вообще бесследно пройти.

— Но, мамочка, готовьтесь: ближайший год никакой работы, вам придется полностью себя дочери посвятить. Найдете такую возможность?

Я, как и любая нормальная мать на моем месте, не колебалась ни секунды. Но вздохнула тяжело:

— Я так понимаю, что выбора у меня нет.

И, под одобрительным взглядом пожилого врача, тоскливо подумала, что на службе, безусловно, будут рады выбить из седла меня, молодую выскочку. А копить на черный день я никогда не умела.

Значит, снова придется брать у Максима... Что за никчемная, неладная у меня получается жизнь!

А любимый — чувствовал, чувствовал он, что я готова сорваться с крючка, — начал крылышками над нами хлопать — любо-дорого. Чуть ли даже не рад, что я снова, как двенадцать лет назад, растеряна и беспомощна. Дорогие лекарства, ингаляторы, черная икра, несуразную огромную куклу Маришке приволок, хотя дочка еще год назад торжественно объявила, что она стала большая и детские игрушки ей не нужны.

Я не удержалась, съязвила:

— Ты бы еще сосочку ей купил. Или подгузники.

Но Маришка взглянула на меня сердито. И благодарно прижала подарок к груди.

Максим победоносно подхватил дочку на руки. Зашептал ей на ушко — достаточно громко, чтобы я тоже слышала:

— А чего ты стесняешься, моя заинька? Даже совсем большим девочкам иногда полезно поиграть в куклы.

Перевел взгляд на меня, улыбнулся лукаво:

— И пожить в королевских теремах!

— Чего-чего? — опешила я.

— Ну, доктор ведь сказал: нужно срочно в теплый климат. Я этот вопрос решил.

Опустил Маришку на пол, присел перед ней на корточки:

— Я нашел для вас с мамой настоящий дворец. На высокой скале, на крутом берегу. Море, золотой песок, соленый воздух, тишина, фрукты. Ты поправишься там в мгновение ока!

— И где это райское место? — спросила я.

— В Болгарии.

Маришка мигом сморщила носик:

— Ну, папа, тогда ты врешь! В Болгарии дворцов ни одного нет. И в море сплошные водоросли. Мне подружка рассказывала.

Максим улыбнулся слегка надменно:

— Твоя подружка, наверное, по путевке в санаторий ездила. В трехзвездочный. На Золотые Пески или на Солнечный Берег. А вы будете жить в собственном доме. Уникальном. Сказочном. Вот, я фотографии принес.

И эффектным веером выложил карточки.

Я взяла одну, и в первый миг мне показалось: это не дом — корабль, почему-то вдруг бросивший якорь на скале. Три палубы, верхняя вся стеклянная. Крыша увенчана мачтами, на одной из них развевается флаг. А внизу пенится море.

Максим наслаждался моим изумлением, комментировал:

— Между прочим, домик входит в сотню самых интересных архитектурных сооружений мира...

Я взглянула недоверчиво:

— И ты его купил?

Макс слегка смутился:

— Э... нет. Пока только снял. Но на все лето! Условия там шикарные. Собственный пляж. И сад есть, и бассейн — если вдруг в море шторм.

Я продолжала рассматривать фотографии. Да, дом красивый, конечно, но зачем нам такой огромный?

Маришка тоже критически сморщила носик, проворчала:

— А мама ведь сама там убирать не будет, меня заставит.

(Отомстила за то, что вчера я попросила ее вымыть после ужина посуду.)

Однако Макс с торжеством в голосе произнес:

— Мелко плаваете, милые дамы! Убирать вам вообще не придется.

— Нет, — покачала я головой. — Уборщицу я брать не стану. Ты прекрасно знаешь, что я не люблю...

— Не волнуйся, уборщица вам не понадобится, — перебил Макс. — Потому что дом это не простой, а *умный*. Слышали про такую технологию?

— Он умеет говорить? — хихикнула Маришка.

— Говорить, наверно, нет, но все остальное — может, — воодушевленно отозвался Максим. — Вы только кнопочки нажимаете. А дом сам себя убирает, проветривает, варит кофе... Вот рекламный проспект.

— А счастливыми нас сделать он сможет? — усмехнулась я.

Макс не сомневался ни секунды:

— Конечно!

* * *

Доктор наше решение уехать в Болгарию на все лето горячо одобрил.

Макс окончательно вошел в роль доброго волшебника и купил нам с дочерью билеты бизнес-класса.

Маришка с удовольствием раскинулась в кожаном кресле, чуть надменным голоском попросила у стюардессы воды, обязательно с долькой лимона, а мне радостно улыбнулась:

— Мамуль, мы с тобой теперь будем жить как принцессы, да?

Однако, когда самолет приземлился в Бургасе, дочкин оптимизм резко пошел на убыль. Она, похоже, настроилась, что сказка продолжится и дальше. Что в аэропорту нас будет ждать лимузин и предупредительный шофер в белых перчатках. Но встретил нас хмурый парень на стареньком «Ситроене». Когда Маришка начала закидывать его миллионом вопросов, буркнул, что он просто шофер и по-русски говорит плохо.

Дорога к дому оказалась узкой, ухабистой, и чем дальше мы удалялись от города, тем хуже она становилась. Да и селения, что мелькали то слева, то справа, выглядели все меньше, все беднее.

Дочка опасливо покосилась на водителя, склонилась к моему уху:

— Может, он людоед? Сейчас завезет нас в какую-нибудь жуткую пещеру...

И тут, словно по заказу, мы свернули на грунтовку. Шофер сбавил скорость, но клубы пыли все равно окутали машину со всех сторон.

Маришка сразу закашлялась, я вытащила из сумки ингалятор, крикнула водителю:

— Закройте окна!

— Они... как это... мануальные. Ручка там, у вас!

Я начала лихорадочно поднимать стекло — сначала со стороны дочери.

И вдруг увидела перед своим окном заросшее густой бородой, страшное лицо. Маришка отчаянно взвизгнула.

А очень смуглый, с недобрыми глазами человек постучал по медленно плетущейся нашей машине длинным кривым ногтем. Показал куда-то вдаль и зловещим голосом молвил:

— Там смэрта. Смэрта.

Водитель остановился. Открыл свое окно, что-то яростно затараторил по-болгарски — видимо, пытался отогнать дядьку.

Но тот вцепился в наш автомобильчик обеими руками и продолжал повторять:

— Смэрта, террор, ужас. Там.

Я наконец закрыла свое окно. Дочка кашляла и всхлипывала одновременно. Водитель осторожно тронул машину, но мужик продолжал за нее цепляться и потому на ногах не устоял — упал в пыль.

— Что вы делаете? — накинулась я на шофера.

Но тот только пожал плечами:

— Цыганин. Ром. Умопомрачен. Не се притеснявайте.

— Чего?

— Ну, не волнава... не волнуйтесь. Он дурак!

Парень улыбнулся, прибавил скорость. А через минуту, словно ниоткуда, из пыли и неуюта перед нами выросли изящные кованые ворота.

— Къщата на мечтите. Э-э... дом мечты, — представил шофер.

Врата величественно, неспешно растворились.

Окруженный пальмами, перед нами высился

дом-корабль. Вблизи он оказался еще эффектнее, чем на фото. Ничего в нем не было от жилища, *коробки*. Казалось, сейчас подует ветер чуть посильнее и фрегат мягко спланирует со скалы, отправится в плавание.

Паруса на крыше хлопали. Отчаянно горланили чайки. Совсем близко рокотало море.

Маришка радостно взвизгнула.

А мое сердце неожиданно сковало льдом.

Показалось: корабль уже *сдвинулся*. Но уплывает не в море — его несет, всей многотонной тушей, прямо на меня. На нас с дочерью.

Я инстинктивно отступила.

— Мам, ты чего? — хихикнула Маришка.

И пулей бросилась в свои новые владения.

* * *

— Мамуль, это правда сказка! Нет, компьютерная игра!

Моя дочь пребывала в полном восторге. Командовала серьезным голоском:

— Открыть шторы!

И заливалась счастливым смехом, когда портьеры послушно ползли вверх.

Я, чего скрывать, в умном доме слегка растерялась — огромное количество возможностей, датчиков и пультов подавляло.

Однако вот разница между поколениями. Я и коснуться непонятных гаджетов боялась, а моя юница возбужденно бегала по всему дому, изучала, являлась с очередными докладами:

— Мам, смотри: шланг в стене. Как думаешь, для чего?

— Пожарный?

— Ох, мамуля, ну, ты дикая! Смотри.

Дочка вытащила из кармана жвачку, швырнула в рот. Обертку бросила на пол. Подмигнула мне:

— Смотри, что сейчас будет.

И смело нажала на кнопку в стене, под шлангом. Тот мгновенно ожил. Сам размотался. Вытянулся, приятно мурлыкая, к мусору. И бумажка мгновенно исчезла в разверстой пасти.

— Ничего себе! — ахнула я.

А дочка с удовольствием объясняла:

— Это, типа, встроенный пылесос. В каждой комнате такой. А мусоросборник в подвале стоит. Классно! Хочу, хочу, хочу!

— Знаешь, сколько это все стоит? — вздохнула я.

Жаль, что я взрослый человек. Не умею радоваться столь безоглядно, как моя Маришка. Вместо того чтобы видеть плюсы, начинаю минусы искать. И легко их нахожу.

Мой покровитель Максим Петрович, когда снимал чудо-дом, хотел меня поразить. Но пока — лишь разозлил. Тем, что продемонстрировал — в очередной раз! — чем отличаются его возможности от моих. Насколько мне, песчинке, будет невыгодно потерять его — глыбу.

И еще проклятый цыган взволновал. Понятно, человек блаженный, такие везде встречаются, но всегда неприятно начинать отдых, когда тебе только что смерть напророчили.

Да и сам Дом мечты — пусть красив, необычен, изящен — *грустным* каким-то был.

Мне казалось: подобное чудо не строят для чужих людей. Кто-то, мне неведомый, возводил его для себя. Для собственной счастливой, комфортной жизни. Которая почему-то не состоялась.

Одна гостиная на третьем этаже — «верхней палубе» — чего стоила! Ничего подобного я прежде не видывала — ни в жизни, ни в кино, ни в самых сказочных снах.

Огромное панорамное окно. Стеклянный потолок. Теплый и шершавый, будто морской песок, пол. И поразительное ощущение, что ты летишь, паришь над многоликим, бескрайним морем. Или стоишь на капитанском мостике. Но при этом вокруг множество полезных и приятнейших мелочей. Кресло сразу принимает форму твоего тела, кружка для пива всегда будет ледяной, диспенсер услужливо подаст лед. Все новенькое, чистенькое, дорогое.

«Я бы никогда не стала сдавать такой замечательный дом», — вновь подумала я.

От него избавились, потому что здесь случилось — «смэрта, террор, ужас»?

Меня пробрала дрожь.

А что, очень логичная версия.

Мой Максим Петрович никогда не упустит возможности сэкономить. И когда провожал нас, признался честно: «Аренда мне недорого обошлась».

Хотя я бы за столь изумительное место заломила огромные деньги.

Значит, дом явно нехороший. А мы тут вдвоем с маленькой дочкой — без мужчины, без защиты...

Характер у меня мнительный, и если начинаю себя накручивать, то впасть очень быстро могу в мрачность мрачнейшую. Спасибо Маришке, любимой доченьке, — пусть кроха, а научилась быть маминым психотерапевтом. Чем грустнее мое лицо — тем активнее обнимает, тормошит, веселит.

Вот и сейчас — прибежала в гостиную, глазенки огромные, восхищенные:

— Мам, пойдем покажу, что я в детской комнате нашла! Доска для рисования — с голосовым управлением, ты только представь! Приказываешь: «красный» — выпрыгивает красный мелок. Говоришь: «стереть!» — все исчезает. Вообще фантастика!

И тянет за руку.

Я с умилением взглянула в раскрасневшееся дочкино личико и уже готова была выкинуть из головы все тревоги, помчаться резво, будто сама девчонка, за ней. Но только слишком запыхалась Маришка после своей радостной речи. Дышит с присвистом, глаза подозрительно блестят. Не кончилось бы дело приступом!

Я почувствовала раскаяние. Уже поздний вечер, мы с раннего утра в дороге, кругом сквозняки, пыль — одна поездка по грунтовой дороге чего стоила! Маришке давно пора принять лекарство и отдыхать, а она вместо этого скачет по всему дому, собирает новые аллергены.

— Все, моя милая, — строго молвила я. — Никакого больше рисования. Пошли спать.

— Ну мам, чего ты такая нудная? — возмутилась дочь. — Я еще и половины не посмотрела!

Маришка изо всех сил старалась говорить уверенно, быстро, но я-то вижу: дыхание все сильнее сбивается. И голову чуть наклоняет — ей так всегда легче, когда кашель подступает.

— Маришка, быстро села! — приказала я. — Я бегу за лекарством!

Но принести не успела. Дочка раскашлялась — тяжело, с надрывом.

Ну я мать, ну ехидна! То морем любуюсь, то страхи себе придумываю. А реальную проблему — приступ астмы — прощелкала.

Я кинулась за ингалятором. Потом отнесла мою принцессу в спальню. Соорудила в постели трон из подушек, помогла дочери сесть. Маришка, несчастная, сразу сдувшаяся, вцепилась в мою руку, слабым голоском попросила:

— Мамочка, мне так душно. Можно окно открыть?

Я распахнула балконную дверь. В комнату ворвался теплый соленый воздух.

Дочь глубоко вдохнула. Пробормотала:

— Надеюсь, мы не сломаем климат-контроль. Когда он работает, открывать ничего нельзя.

— Да плевать на него! — непедагогично отозвалась я.

— Мама, ты мне тысячу раз говорила, что слово «плевать» нехорошее, — слабым голоском укорила Маришка. И попросила: — Спой нашу песенку любимую.

И сама начала:

— Ах, попалась птичка, стой. Не уйдешь из сети...

— Не расстанемся с тобой ни за что на свете, — подхватила я.

Шум прибоя и крики чаек звучали словно аккомпанемент. А еще — или мне показалось — в комнате ощутимо запахло озоном. Хотя никакой грозы не было и в помине, небо чистое. В чудо-доме, что ли, имеется озонатор, столь полезный астматикам? Да вряд ли. Имейся тут подобное чудо, Максим бы не преминул похвастаться собственной заботливостью.

Однако приступ у Маришки прошел на удивление быстро.

Смогла улечься горизонтально, дышала спокойно — будто после кислородной маски. Улыбнулась мне, закрыла глаза. Песенку про птичку в золоченой клетке я допела сама. К концу последнего куплета дочка сладко посапывала.

Но, когда я встала с краешка ее постели, Маришка пробормотала совсем сонным голосом:

— Мамуль, ты только мою куклу спать уложи, а то я забыла.

— Хорошо, милая, конечно, — прошептала я.

Обернулась в поисках игрушки.

Но тут на первом этаже затрезвонил звонок, и я поспешно вышла из дочкиной спальни.

* * *

Спрашивать «Кто там?» необходимости не было. На мониторах, размещенных в прихожей, я видела и лицо гостя, и его машину. На отдельном экране крупным планом красовался бейджик с его пиджака. Другой электронный агрегат услужливо выдавал справку, что зовут посетителя Манол Тодоров, он работает в службе сервиса и в доме неоднократно бывал.

Но все равно дверь я отворила с опаской. Както вдруг особенно остро почувствовала себя беззащитной — в чужом доме, в чужой стране.

Манол приветствовал меня широчайшей улыбкой. Приложил руки к сердцу, склонился в шутливом поклоне, молвил на неплохом русском:

— Поздравляю вас, прекрасная леди!

— С чем? — удивилась я.

— Вы смогли успешно отпереть замок. А предыдущая дама, что жила здесь, вместо этого включила систему полива. Она ударила прямо в меня, и я стал весь мокрый.

Манол поманил меня к пульту управления, показал на одну из клавиш:

— Показываю сразу. Вот та сама кнопка. Но нажимать ее не надо. Система полива сама анализирует погоду, сухость почвы и решает, когда и с каким напором ей работать. И вообще, — улыбнулся заговорщицки, — лучше поменьше трогайте все эти штучки. Хозяин бывший тут всего столько наворотил — я, признаться, и сам половины не понимаю.

Я с интересом спросила:

— А кем он был, этот хозяин?

— Да тоже ваш, русский. — В голосе Манола еле заметной перчинкой прозвучало неодобрение. — Я лично с ним не знаком, но говорят, какой-то компьютерный гений. Изобретатель. Построил не просто «умный дом», а, я бы сказал, дом странный. Ну ладно, самозастилающаяся постель — это атрибут для данной технологии известный. А сканер настроения в спальне видели?

— Чего-чего? — опешила я.

— В тумбочку у кровати встроено специальное стеклышко. Анализирует цвет радужной оболочки глаза, по нему определяет настроение. И музыку включает соответствующую: марш, или оперу, или романтичное что-нибудь.

Я хмыкнула:

— Оригинальная идея.

— И подобных штучек здесь миллион, — обнадежил болгарин.

— А почему этот изобретатель сам в своем чудодоме не живет?

И снова в голосе Манола задрожало осуждение — интеллигентное, тончайшими струнами:

— А вы не догадываетесь? Он ведь из России. А у вас как? Сегодня человек миллиардер, на «Бентли» ездит, денег полные карманы. А завтра — уже в тюрьме, имущество с молотка. Посадили хозяина. Жаль. Хороший был мужик. Набережную грозился плиткой вымостить, — болгарин досадливо поморщился. — А сам, вон, даже дорогу к дому достроить не успел.

Впрочем, ни грана сочувствия я в его голосе не услышала. А сама вдруг представила — ярко, живо, остро — неведомого мне мужчину. Где-то в Сибири, в зловонии барака, окно перечеркивает решетка. А он вспоминает свою сплошь стеклянную, словно капитанская рубка, гостиную. Мягкие кресла. Запах моря. Собственный, огороженный пляж.

— Как его звали? — тихо спросила я.

— Понятия не имею, — фыркнул Манол. — Дом продали с торгов полтора года назад. Я тогда еще в колледже учился.

— А кто им владеет сейчас?

— Юридическое лицо. Болгарская компания.

— Узнайте для меня, пожалуйста, как звали прежнего владельца.

Парень поморщился:

— Во-первых, такие данные не разглашаются. А во-вторых, я должен вам объяснять, как оборудование работает, а вместо этого посторонние разговоры веду. Давайте перейдем к делу. Начнем с программы «Утро»...

...И через пятнадцать минут от громадья возможностей у меня голова просто кипела. А еще возникло стойкое ощущение, что «умный дом» гораздо умнее меня самой. И хитромудрые механизмы запросто могут взбунтоваться, когда ими начну управлять я, в технике — полный ноль. Восстание машин, серия вторая. Больше похожая на комедию.

Манол снисходительно взглянул в мое испуганное лицо:

— Да не волнуйтесь вы так. Все ведь для вашего блага придумано. Чтобы ничем не утруждаться, а только кнопки нажимать.

— Ага, вы рассказывали. Когда вместо того, чтобы двери открылись, система полива включилась.

— А вы не жмите куда попало. А если совсем

в себе не уверены, просто не используйте гаджеты. Свет всегда сам зажжется, тут датчики движения стоят. Климат-контроль тоже автономно работает.

— А озонатора здесь, случайно, нет? — вспомнила я.

— Озонатора? Это еще что такое? — удивился Манол.

— Прибор медицинский, очень полезный. Насыщает ионами озона воздух, воду, фрукты.

— Ох, да я сам до конца не знаю, что в этом доме есть, — проворчал парень. — Но давайте на компьютере посмотрим.

Мы подошли к мониторам, Манол набрал команду «Поиск». Удивленно произнес:

— Фигасе, как у вас в России говорят! Оказывается, имеется и озонатор. Давайте тогда посмотрим, как включать. Вот, сначала открываем главное меню, дальше директория «Атмосфера», потом выбираете из списка комнат нужную и кликаете на «Озон».

— Понятно, — растерянно протянула я. — А он сам заработать не мог?

— Что значит — сам? — уставился на меня Манол.

— Ну, мне сегодня показалось, вроде озоном пахло. Очень ощутимо.

— Нет, — уверенно помотал головой болгарин. — Такие вещи сами по себе не включаются. «Умный дом» потому и умный, что все под контролем хозяев. — Хитро улыбнулся, подмигнул: — Но если у вас с контролем возникнут проблемы —

я всегда к вашим услугам. Звоните в любое время. Хоть ночью. Приеду, все исправлю.

— Вы сейчас как представитель компании говорите? Или просто по-человечески? — слегка растерялась я.

Манол встал на шажок поближе. Окинул меня плотоядным взглядом, сладким голосом молвил:

— Красивая женщина остается одна в большом доме...

Взором своим кареглазым, жгучим обволакивает, подступает все нахальнее.

— Вдруг вам будет страшно? Одиноко?

Я шарахнулась. Мальчик немецких фильмов, что ли, насмотрелся? Или, может, его Максим Петрович попросил? Мои моральные устои проверить?

— На шаг назад отойди! — рявкнула я.

Парень обиженно отпрянул, буркнул:

— Смотрите. Без защиты вам будет плохо.

— Если мне понадобится защита, я позвоню в полицию, — как можно суше кивнула я.

Выпроводила сервисмена за дверь и сразу, как он учил, поставила дом на сигнализацию. Теперь я могу даже пиратской атаки не бояться. Умная система сама распознает, кто проник на участок — человек или зверь. А дальше — целый комплекс мер: от яркого освещения и сирены до удара по пришельцу током. И конечно, немедленный вызов правоохранительных органов.

Я заглянула в комнату к дочке — та сладко спала. Потом поднялась в свою *уже любимую* гостиную-рубку, плюхнулась в кресло, включила световой режим «поздний вечер». Яркое освещение комнаты мгновенно сменилось на пару уютно мерцающих ламп. Зато внизу, на полоске пляжа, ярко вспыхнули фонари. Осветили бурливую пену прибоя, торжественные громады скал, бесконечную перспективу воды. Вдруг засиял прожектор, выхватил на песке пляжа темное пятнышко. *Объект* мгновенно бросился к воде, а я — к подзорной трубе, что стояла у окна. Та оказалась уже настроенной, и мне в глаза уставился своими злыми бусинами огромный, сердитый краб.

Мой бог, я все больше и больше *люблю* того, кто это построил!

Хотя к восторгам отчетливо примешивались опасения.

Мне все больше и больше казалось: из дома, *возможно,* придется спасаться бегством. Причем поспешно.

А как?

До города — шесть километров. Соседей нет. Где-то поблизости бродит сумасшедший цыган. Да еще Манол со своими ужимками «немецкого сантехника». Лишний раз к такому точно не обратишься.

— Домик, умница мой, давай мы с тобой сами будем дружить, а? — вслух произнесла я. — Обещаю, обижать тебя я не стану.

Голос в почти пустой комнате прозвучал гулко, странно.

А потом за моей спиной раздался нежный звон.

Я вздрогнула, вскочила со своей лежанки. Шкафчик бара подмигивал ярко-синим. На дисплее, украшавшем дверцу (днем я его и не заметила), светилась надпись: «Лед готов». А в выдвижной подставке уже красовался хрустальный бокал.

Я нервно произнесла:

— Слушай, дорогой дом... получается, мне и мужчина не нужен? Ты сам обо мне позаботишься?

И поняла, что *жду ответа*. Ф-фу, наваждение! Фыркнула, взяла бокал. Но мысли свои продолжала озвучивать:

— Ты предлагаешь именно этот бокал. А чего мне в него налить? Где бутылка?

Дом молчал.

— Хорошо, — я продолжала валять дурака. — Попробую догадаться сама. Сейчас вечер, наверно, время коктейля? О'кей, милый дом. Лед ты мне уже дал. Теперь дай, пожалуйста, кампари и апельсиновый сок.

И немедленно — как в торговом автомате — из шкафчика выдвинулись два лотка. В одном стояла бутылка ликера. В другом, поменьше, красовалась яркая пачка сока.

Я присвистнула от удивления. Пробормотала:

— Странно, что ты коктейли *сам* не делаешь.

Но техника, даже умей она, — смешала бы напиток по науке: кампари на полпальца, вкуса под соком и не почувствуешь. А я — по-русски — набухала ликера полстакана. Выпила махом, переключила свет в режим «ночники» и ушла спать.

И снился мне — вот смех! — симпатичный мужчина с грустными и доверчивыми глазами. Он протягивал мне бархатную коробочку. Открытую.

В ней — не кольцо, не бриллиант. Просто ключ. И слова в ушах звучали: «Я построил для тебя дом, Юна. Давай жить здесь вместе! Втроем. С *нашей* дочкой».

* * *

Я проснулась в приятной прохладе и кромешной тьме. Однако, едва привстала на постели — с тумбочки подмигнули часы: десять тридцать две. Ничего себе, разоспалась! Я схватила пульт, вдавила кнопку «утро», и комната (именно вся, целиком!) сразу пришла в движение. Раздвигались портьеры, приоткрывалось окно, к шуму прибоя сразу же примешался негромкий Штраус. Под его марш я бодренько спустила ноги с постели — пол, конечно, был уже теплым. Услужливо приотворенную дверь ванной комнаты проигнорировала — побежала к Маришке. По пути нещадно себя ругала. Хороша я мамаша! У дочери вчера приступ был, а я к ней ночью ни разу даже не заглянула.

Но, к счастью, выглядела малютка прекрасно. Увидела меня, бросилась обниматься, сразу затараторила:

— Мамулечка, ну сколько можно спать! Я хочу по саду погулять, хочу на море и даже каши уже хочу!

— Ну, пойдем тогда, — улыбнулась я, — будем договариваться с кухонными роботами.

— Ой, мам, здесь такие классные роботы! — В глазах дочери сиял искренний восторг. — Утром

— А ты что? Считала, я тебе верность храню?

Лара опешила. Залепетала — тоном, будто сама оправдывается:

— Не считала, конечно. Думала: бывают иногда случайные связи. В командировке там, в сауне. А у тебя, оказывается, дочь!

Вздохнула:

— Я ведь тебе предлагала: давай еще девочку родим. Ты сам не захотел.

— Послушай, Лариса, — раздраженно молвил супруг. — Что тебе от меня надо?

И снова она растерянно захлопала глазами. Пробормотала:

— Да ничего не надо. Просто я тебе верила. Самым близким человеком считала. А ты, оказывается...

Не договорила. Залилась слезами, ушла плакать в кухню.

Муж за ней не пошел. Дождался, пока успокоится, выйдет в гостиную. Равнодушно предложил:

— Хочешь — давай разведемся.

Она с испугом взглянула в его отстраненное лицо:

— Ты что, меня совсем не любишь?

Макс расхохотался:

— Лара, сколько тебе лет?

— Подумаешь, на пять лет старше, — огрызнулась она. — Главное, я жила только для тебя. И всегда тебя любила.

— А чего бы меня не любить? — с легким презрением молвил муж. — Деньги в семью приношу, тебе не докучаю.

— Ну, и я: всех кормлю, обо всех забочусь!

— А в зеркало ты на себя давно смотрела?! — взорвался он.

Лариса насупилась. Сама знала: да, располнела. Уголки рта обвисли, глаза очертили морщинки. В волосах полно седины, но она упорно цеплялась за «натуральный цвет» и не красилась.

А муж решительно молвил:

— Давай мы тему любви отставим. Хочешь развода — не вопрос. Но денег моих не получишь. Плюс сыновьям навредишь. Сама знаешь: подростков лучше не травмировать. Поэтому предлагаю все оставить по-старому. Веди свое хозяйство, развлекайся как хочешь, а в мои дела не лезь.

И лицо — абсолютно самодовольное. Не сомневается: жена-клуша, конечно, выберет вариант номер два.

— Хорошо, Макс, — ледяным тоном сказала она. — Я подумаю над твоим предложением.

Ушла в спальню, бросилась на кровать. Больше не плакала. Но кляла себя, что пятнадцать лет прожила доверчивой дурой. Обхаживала супруга, заботилась, чтоб ему всегда было комфортно и вкусно, старательно выбирала подарки. А он ел ее пироги, надевал ею глаженные рубашки — и крутил роман с молодайкой!

Негодяй, сволочь! Два варианта он ей предлагает: или развод без копейки, или смирись. Нет, Максушка, извини. Я, конечно, клуша, но не совсем ноль без палочки.

Спасибо, кстати, сыновьям.

Те очень рано стали увлекаться компьютерами.

Лара пробовала все, что положено, чтобы их от вредного занятия отвадить. Пыталась переключать внимание, регулировать время на использование гаджетов, даже запрещать.

Толку не вышло. И тогда она стала играть *вместе* с ними. Начинали со всяких жучков-букашек, дальше пошли стрелялки, аркады, «Майнкрафт». И тема для бесед появилась, и попутно все трое стали очень даже продвинутыми пользователями. Особенно она — все-таки математический факультет за плечами.

Макс и не подозревал, что она теперь умеет. Ему было неинтересно. А если Лариса оставляла свой компьютер включенным, то всегда — на всякий случай! — на какой-нибудь кулинарной страничке.

...На следующее утро Лара поднялась рано.

Она знала: ее супруг в технике дилетант, на его смартфоне даже антивируса нет. Поэтому получилось очень быстро: внедрить программку переадресации всех его сообщений на ее аппарат.

Макс ушел на работу, и Лариса сразу взялась за дело.

Ее личный лэптоп — как у всех продвинутых компьютерщиков — с виду был неказист. Зато скоростью обладал почти космической.

Лариса давно подглядела мужнин логин для мобильного банка. Тот его и не скрывал — подумаешь, секрет.

Откуда наивному было знать, что клуша-жена оказалась достаточно компетентна для того, чтобы взломать его персональные данные и узнать восьмизначный пароль.

Сейчас Лара отправилась — под именем супруга — на страничку банка.

Идентификацию прошла успешно.

Секретный пароль — переадресованный с мужниного телефона — явился в считаные секунды.

И вот она в личном кабинете супруга — твори что хочешь.

Жаль, много денег выгрести не удалось — основные сбережения супруг держал в акциях. Но на сто тысяч долларов его счет она облегчила.

Плюс имелись собственные сбережения. Макс и не догадывался, что если вести хозяйство экономно, то можно каждый месяц откладывать. Лариса вообще-то копила не для себя лично. А на *их с мужем* старость: мало ли что случится у Макса, бизнес в России — штука ненадежная.

Но теперь муж — ее враг. И воевать против него честно — после того как любимый столько лет ее обманывал — она не станет.

Дальше Лара открыла сейф. Забрала оттуда немногочисленные свои украшения. Мужнины дорогие часы, платиновые запонки. Пачку евро.

Все пока шло по плану.

Она уже выяснила — спасибо компьютерным навыкам — место, где Макс снял для своих приблудок дом.

И порадовалась.

Домик оказался, во-первых, *с историей. Очень нехорошей*.

Во-вторых, стоял на отшибе.

А в-третьих — был из породы «умных». То есть управлять таким можно с компьютера!

Защита в «умных домах» всегда стоит серьезная. Но у нее тоже — какой-никакой опыт. Вдруг получится взломать?

А не получится — она не побрезгует и лично Максовой молодайке в лицо вцепиться.

Еще одно несложное дельце в Москве — и можно вылетать на болгарский курорт.

* * *

Маришка выскочила из дома, будто за ней гнались.

Доложила:

— Папа звонил.

— Что говорит?

Девочка поморщилась:

— Занудствует. — Передразнила: — На солнце не сгореть, ночью дом на сигнализацию ставить и днем ворота тоже всегда запирать. А еще знаешь, что сказал? — Ее голосок задрожал от возмущения. — Что первые два дня мне можно только воздушные ванны принимать. А купаться нельзя.

— Почему? — удивилась я.

— Потому что ак-кли-ма-ти-за-ция, — скривилась Маришка. И с вызовом взглянула на меня: — Но купаться я буду все равно.

— Ладно, — улыбнулась я. — Только недолго.

— Супер! — расплылась в улыбке дочка. — Ты лучшая мама в мире!

Мы спустились на пляж, и Маришка вихрем влетела в прозрачную, искрящуюся, будто стекло вымытое, воду.

— Мама, тут крабы! А вон, смотри, чайка рыбку поймала! А посмотри, как я на голове под водой могу стоять!

Можно было прикрикнуть или даже силой вытащить — но я давненько не видела дочку настолько счастливой. Потому понадеялась: положительные эмоции пересилят и простуды не будет.

Сама я не купалась — не сводила взгляда с Маришки. А заодно — ломала голову. Почему, интересно, Макс поговорил с дочкой, а меня к телефону не позвал? Зато ребенку надавал кучу «взрослых» предупреждений. Дом на сигнализацию ставить, ворота запирать... Помнится, когда он рекламировал свою Болгарию, утверждал: это самое безопасное место в мире.

«Ладно. Вечером позвоню и сама его допрошу», — решила я.

И поспешила в море: вытаскивать из воды мою красавицу.

Маришка, конечно, уже зубами стучала от холода. Сидела, дрожала в полотенце, но смело строила дальнейшие планы:

— М-мам, после обеда мы возьмем маски и ласты. И м-матрас надувной. И еще т-такую доску специальную, чтоб на волнах кататься.

— После обеда, по-моему, ты будешь чихать и кашлять, — вздохнула я.

— Мам, папа на тебя дурно влияет. Ты тоже начинаешь хлопать крыльями и причитать! — приложила малявка. — Но он-то старенький. А ты у меня еще молодая!

Сбросила полотенце, села рядом со мной, грустно молвила:

— И еще у тебя шикарный бюст. Не то что у меня.

Я расхохоталась, заверила дочку:

— У тебя будет еще лучше!

А Маришка вкрадчиво произнесла:

— Можно я опять купаться пойду?

— Нет, — покачала я головой.

И едва дочка свернула губы в обиженную трубочку, добавила:

— Пойдем лучше, я тебе один секрет покажу.

...На краю нашей бухточки имелось неприметное с виду строение. Маришка на него и внимания не обратила. Я тоже думала: там какой-нибудь хозяйственный инвентарь. Однако Манол вчера раскрыл мне тайну и дал два пульта.

Одним из них я отперла дверь.

На козлах, «лицом» к морю, стоял скутер.

— Вау! — взорвалась от восторга Маришка. — А на нем покататься можно?

— Естественно. Садись впереди меня.

Дочь прыгнула на сиденье, схватилась за руль.

Я села сзади, нажала кнопку второго пульта, и скутер послушно завелся. Придавила ручку газа — мотор взревел.

— Эй, мам, эй, подожди, не газуй! — затревожилась Мариша. — Ты *по доскам,* что ли, ехать собралась?!

— Ты забыла, что здесь «умный дом»? — усмехнулась я.

Храбро нажала кнопочку на панели водного мотоцикла. И все вокруг мгновенно пришло в движение. Пол разъехался, ворота полностью растворились. Стойка, на которой стоял скутер, начала, под небольшим углом, опускаться вниз. Минуты не прошло, а мы уже были в море.

— Мам, мам! — ликовала Маришка. — Супер! Мега! Люкс! Давай, помчались!

И я (хотя скутером управляла впервые) смело нажала на ручку газа. Мотоцикл зарычал, вспорол мармеладную водную гладь, рванулся вперед, нас обдало тучей брызг, Маришка едва не свалилась, взвизгнула, вцепилась изо всех сил в руль... «Максим бы сейчас меня просто убил, — мелькнула мысль. — Хотя что мне до него? Подумаешь, авторитет — *бывший* любовник!»

Мысль-услада. Мысль-освобождение.

Я и не думала сбавлять скорости. Лихо и уверенно обогнула еле скрытую водой скалу (вот был бы номер, сядь мы на нее брюхом) и помчалась прочь из нашей аккуратненькой бухточки. На простор. В открытое море!

Сама радовалась, будто девчонка (или, скорее, как мальчишка-хулиган). Газовала, резко поворачивала, мотор ревел, ветер бился в лицо, дочка восторженно пищала:

— Мам, эй, мам! А ты меня спасешь, если что? Я на глубине плавать пока не умею!

Но я продолжала гнать. И вспоминала наш единственный отпуск вместе с Максимом. Тогда мы тоже брали напрокат скутер. Он управлял, я чинно сидела за его спиной, а солидный мужчина Максим Петрович аккуратненько, по кругу, катался в строго отведенной для водных мотоциклов акватории. Ну и, разумеется, оба мы были в спасательных жилетах.

Я сбросила, наконец, скорость. Ругнула себя:

— Дорвалась до свободы, дура!

И осторожно развернулась — прочь из открытого моря, в нашу маленькую безопасную бухту.

Слева от нее раскинулся ближайший к нам городок Агатополис, и Маришка попросила:

— Мам, давай вдоль берега проедем!

И спокойно (вода под носом скутера еле пенилась) проплыли вдоль разноцветья домиков, песочного пляжа, лодочной пристани. Это и правда была совсем не та Болгария, как в туристических проспектах. Ни единого типового здания. Больших гостиниц тоже не видно — только семейные отельчики. И даже зонтики на пляже не одинаковые, а у каждого купальщика свой, никакого цветового однообразия, — казалось, будто на берегу мозаику выложили из веселых ракушек.

— После обеда опять поедем кататься, — строго сказала дочь, когда мы вернулись в нашу личную бухту.

Но переменчив морской климат. Еще когда ели пиццу, вовсю палило солнце. А к десерту небо вдруг затянули тучи, засвистел ветер, по морю побежала рябь.

— Нечестно! — обиделась на погоду Маришка.

А я, наоборот, обрадовалась: пусть лучше дома сидит, акклиматизируется — как великий Макс сказал.

Отвела дочь в ее комнату и предложила бартер: она устраивает себе тихий час. И если по-настоящему засыпает — тогда вечером мы едем в городок, ужинать в ресторанчике и кататься на аттракционах.

Обычно Маришка дневной сон ненавидит, но сегодня возражать не стала. Обняла свою Луизу и засопела. А я — отправилась в собственную «нору». Капитанскую рубку.

Море, пусть бурливое и неприветливое, все равно оставалось удивительно красивым. Правду говорят, что у *серого* — множество оттенков. И дымчатый, и серебряный, и стальной. А до чего симпатично смотрелись на фоне свинцовых туч ослепительно-белые чайки!

Загляделась я, задумалась. И не заметила, что умник-дом обо мне позаботиться успел. Окно, что я распахнула с утра, правда, само не закрылось. Зато в кресле включился подогрев, пол тоже стал теплым, а на шкафчике-баре вспыхнула уютная лампочка: «Горячий чай».

Мечта, а не жизнь! Особенно для таких, как я, — кто всегда стесняется попросить в отеле второе одеяло.

Манол, правда, говорил, что в «умном доме» ничего само собой не произойдет, если кнопку нужную не нажмешь.

Но, по-моему, парнишка и сам не слишком разбирался в многообразии возможностей. Впрочем, даже если тут кто-то правит бал (кто — добрый дух, человек?), ничего плохого он мне пока не делает. Одни приятности.

Поэтому я с удовольствием налила себе чаю, шутливо поклонилась в пространство, молвила:

— Спасибо тебе, мой волшебный дворец! А теперь, — три раза хлопнула в ладоши, — подай мне, пожалуйста, одеяло!

И ни капли бы не удивилась, появись оно, прямо немедленно, у моих ног.

Видела бы меня сейчас Маришка! А уж Максим точно бы решил, что я умом повредилась — от слишком красивой жизни.

С чашкой чая в руке я подошла к панорамному окну. Шторм усиливался, крупная рябь уже кое-где вспенивалась белыми бурунчиками. Небо совсем посерело, слилось с морем. Чайки попрятались.

И вдруг я увидела: на фоне мрачно-серого — яркое пятно. Находилось оно далеко, на левой границе бухты, но стремительно двигалось вправо.

Я заинтересовалась, отставила чай, припала к подзорной трубе — и ахнула.

Со стороны городка несло надувной матрас. И на нем — несомненно кто-то был, отчаянно размахивал руками. Я сделала максимальное приближение. Да там мальчишка! Не старше десяти-одиннадцати лет, худой, в очках. Видны были даже брызги, заляпавшие его окуляры. А еще — откровенный, почти животный испуг в глазах.

Я отскочила от подзорной трубы, заметалась по комнате. Что делать? Звонить в полицию, спасателям? А номер? Не знаю. И по-болгарски не говорю. Он что, на пляже был один? Куда смотрели родители? Ха, усмотришь за этими детьми! У самой сколько раз было. На секунду буквально отвлечешься, а Маришка уже в лужу забралась. Или на подоконник. Но я всегда успевала вовремя поднять панику. Наверняка и родители мальчика ее подняли. Уже вызвали спасателей. Сейчас примчится в нашу бухту быстроходный катер, спасет непутевого путешественника.

А если даже не будет катера — что я-то могу сделать?

Почему-то вспомнились саркастические слова Максима: «В нашей стране удивительное отношение к героизму. Люди бросаются спасать — в любом случае. Даже когда сами плавать не умеют. И погибают оба».

Я плавала очень плохо. А штормящего моря и вовсе боялась до паники.

Но матрас несло все быстрее, все дальше от берега. Очевидно было, что в скалу, что ограничивала бухту, он не уткнется — полетит дальше, в открытое море. И я поняла, что выбора у меня нет. Кубарем скатилась по лестнице и, грудью встречая ледяной ветер, бросилась на пляж, к водному мотоциклу.

* * *

У Мити и мысли не было купаться в непогоду. Что он, малыш неразумный? Или на море впервые приехал? Но валяться в постели с «Таинственным островом» (как предлагала мама) ему тоже совсем не хотелось. Зачем ему книжные тайны, когда кругом полно загадок реальных?

Поэтому он быстренько нашел и показал ей

статью в Интернете: что для иммунитета полезно гулять вдоль берега именно в шторм, когда в лицо (и в дыхательные пути) летят соленые брызги. Надел дисциплинированно свитер. И отправился. Официальная версия: по Агатополису побродить, съесть вареную кукурузу — тут на каждом углу продавали, и гораздо вкуснее была, чем на пляже. Но на самом деле план у Мити был другой: дойти быстрым шагом до *Замка Синей Бороды.* Посмотреть, что там происходит. Вроде, сказал знакомый болгарин, туда очередные постояльцы заехали. Что, интересно, за смельчаки?

Путей до таинственного дома имелось два. Один — скучный — по разбитой дороге, на рейсовом автобусе. А другой — по пляжу, по скалам. Конечно, Митя выбрал его. В шторм — самое оно. Ветер в ушах свистит, соленые брызги в лицо бьют. Настоящим капитаном себя ощущаешь! К тому же культурная песочная полоса за городской чертой сменяется укромными бухточками. А там — в каждой свой цирк. Где йоги медитируют, где каратисты ногами машут. Но Митя больше всего любил местечки, где красотки голышом загорали.

Сегодня, правда, в связи с непогодой почти все бухточки пустовали. Лишь в одной пили пиво две дамы, а рядом, на ярком матрасе, валялась девчонка. В три полотенца замоталась, и холод ей нипочем: колотит пальчиками по планшету, явно во что-то интересное играет.

Эту девчонку (его примерно лет) Митя в городке видел уже много раз. Наверняка, как и у них с мамой, своя квартира, надолго приезжают. Но познакомиться никак не выходило. Хотя экземпляр очень достойный: стройная, голубоглазая, не очкастая, волосы золотые.

А сегодня вдруг — Митя как раз мимо проходил — девчонка из-под полотенец выбралась и встает ему навстречу. Глазищи — блюдца, у кукол и то меньше. Чего б такого остроумного ляпнуть, чтоб она засмеялась? Но пока соображал, ветер как взвоет! Такой порыв, что девчонкин матрас сразу на попа и резвенько, будто его гонят, — бух в море! И поскакал, переворачиваясь, по мелководью.

— Эй, ты куда? — растерянно крикнула ему девчонка.

Дамы, что пили пиво, оторвались от увлекательного занятия, напустились на златовласку:

— Вот бестолковая! Сто левов матрас стоит. Держи его, держи!

Бедняжка послушно ступила в море — но сразу назад отпрыгнула. Пропищала:

— Я волн боюсь!

А матрас уже метрах в двадцати от берега кувыркается.

Прекрасный повод совершить подвиг! Ветер пусть холодный, но вода вряд ли остыть успела. А по плаванию у Мити — первый разряд. Потому он сбросил свитер, майку, шорты. Строго велел девчонке: «Вещи мои охраняй». И бросился в погоню.

— Куда ты? — жалобно выкрикнула девчонка.

— Пусть плывет! — захохотали дамы. — Как мы без матраса?!

И чокнулись пивными бутылками — за успех.

А Митя поплыл — своей гордостью, эффектным кролем. Гнал изо всех сил, дыхание сбивалось, ветер бил в лицо, волны пару раз захлестывали в рот. Но матрас он триумфально поймал.

Взгромоздился на него, оглянулся — и сердце похолодело. Ничего себе! До берега уже метров двести, а боковой ветер гонит его жалкое транспортное средство в сторону с очень приличной скоростью. Да и средней величины рябь постепенно обращается в реальные волны. Плюс сразу холодно стало до дрожи: в воде, пока греб, тепло было, а сейчас ощущение — будто в холодильнике сидишь.

Лег на живот, попробовал направить матрас к берегу — толку никакого, ветер гораздо сильнее.

Чего делать? Оставлять свою добычу Нептуну, прыгать да плыть обратно? Но та пара минут, что мальчик провел на матрасе, обошлась ему в очередные двести метров от берега. Всего получается четыреста метров. А то и полкилометра. Да против волны. Хватит ли сил? И перед девчонкой неудобно: принц-спаситель вернулся ни с чем, да еще жалкий, дрожащий, как цуцик.

Хорошо хоть, ветер — Митя попытался оценить — не строго в открытое море несет, а вдоль берега. Как раз в сторону *Замка Синей Бороды.* Вдруг ему повезет: пронестись через бухту, а потом прибиться к дальней скале? Или хотя бы недалеко от нее ветер протащит. На разумном расстоянии, чтобы доплыть можно было.

Холод, правда, смертельный. Митя обхватил себя руками, попробовал растереться, но матрас качало так, что вместо самомассажа он свалился в воду и едва успел поймать свое транспортное средство вновь. Теперь совсем до костей пробирало. И ветер опять переменился. Уже не вдоль берега несет, а строго в открытое море. Нет, не видать ему суши. Только если на другой стороне — в России или на Украине.

Митя нервно хохотнул. И вдруг увидел: от Замка Синей Бороды ему навстречу, взрывая бурунчики пены, мчится водный мотоцикл.

Мальчик отчаянно замахал руками, хотя и без того понятно: вот оно, спасение.

Даже пошутить, перекрикивая ветер, получилось:

— Вы Чип или Дейл?

Женщина, что управляла скутером, взглянула ошеломленно. Но сориентировалась, ответила:

— Спасатель из Малибу. Давай, бросай свой матрас и залазь назад, только аккуратно, не сбрось меня... Ф-фу, ледяной какой. Ты из Агатополиса?

— Ага. А вы из Замка Синей... то есть из Дома мечты?

— Именно. Поехали. Разотру тебя водкой, найду одежду.

Мите ужасно хотелось побывать во владениях Синей Бороды — да еще на правах официального гостя. Но ведь девчонка — хозяйка матраса — наверняка подняла панику. Вдруг уже и мама знает, что его в открытое море унесло? С ума сходит?

И мальчик светски попросил:

— А вас не затруднит отвезти меня назад в Агатополис? У меня, правда, только кредитная карта, но у вашего скутера наверняка есть кард-ридер.

— Рекламная акция, — хмыкнула женщина. — Первое спасение бесплатно.

И весьма уверенно повернула в сторону города.

* * *

— Ну, мам, я от тебя не ожидала! — прокомментировала мой подвиг Маришка.

Я даже обиделась:

— А ты что думала? Я посмотрю и просто отвернусь?

— Папа говорит, что нет хуже, чем когда спасать берется любитель.

Оставалось лишь усмехнуться:

— Ты называешь меня любителем? Да я на скутере езжу лучше любого профессионала.

— Мамочка, как я тебя обожаю! — обвила меня ручонками Маришка.

И запрыгала на одной ножке:

— Слушай, а может, тебе теперь медаль дадут? За спасение утопающих?

— Ну, это вряд ли, — улыбнулась я. — Но мы познакомились с мамой этого мальчика. Она хочет меня отблагодарить. Так что сегодня у нас с тобой будет не обычный ужин в ресторане, а торжественный. В мою честь.

— Как называется место? — с важным видом поинтересовалась дочь.

— «Боруна». Митя — ну, горе-пловец — уверяет,

что там лучшая в городе рыба. И мороженое нереально вкусное.

— Супер! — возликовала Маришка. И нахмурилась озабоченно: — А этот Митя симпатичный?

— Он был весь синий и в пупырышках, — усмехнулась я. — Так что толком не разглядела. И вообще ему двенадцать лет, а тебе только восемь.

Но дочка тем не менее приготовила на вечер самое нарядное платье. Ворча и пыхтя, сама заплела себе сложную французскую косичку. Подбавила в свой бесцветный блеск для губ моей очень даже красной помады. Да еще и меня отругала — за скромные брючки с футболкой.

— Мам! Ты как Золушка при принцессе! Переоденься сейчас же!

Я чмокнула ее в нос:

— И не подумаю. Пусть меня за твою служанку принимают.

Я прежде никогда не совершала геройских поступков и вообще не люблю привлекать к себе внимание. Сейчас тоже очень надеялась, что за мою храбрость поднимут тост, а дальше разговор перейдет на другие темы.

Но, увы, в «Боруне» мне устроили торжественный прием. Мама спасенного (по имени Елена) встретила меня на пороге с необъятных размеров букетом цветов. Далее настал черед хозяина ресторана. Он (надо же было такое загнуть!) сравнил меня со спасительной Красной армией. А в награду за храбрость вручил бутылку коллекционного вина и карточку вип-клиента. Шеф-повар тоже участвовал в торжестве — лично вынес лучшую местную рыбу лефер, красиво пожаренную на гриле. А сам Митя (принаряженный и чрезвычайно смущенный) подарил шоколадную русалку в изящной упаковке. Пробормотал:

— Вы как явление с небес во мгле пучины стали. Ударив молнией, согрели и спасли. Это, типа, стихи. Мои.

— Спасибо, — улыбнулась мальчику я.

А Маришка немедленно доложила:

— Мама шоколад не ест, бережет фигуру!

Дочка смотрела на Митю с неприкрытым восторгом. А тот, конечно, поглядывал на нее снисходительно, как и подобало двенадцатилетнему — на второклашку. Спрашивал, читала ли она «Волшебника изумрудного города». А после того, как ужин был съеден, заботливым тоном старшего брата предложил:

— Тут рядом с рестораном детская площадка есть, не хочешь сходить?

И совсем не смутился, когда моя дочь метнула в него яростный взгляд.

Спасибо, Митина мама бросилась исправлять оплошность сына:

— Не обижайся. Он неправильно выразился. Это не площадка, а спортивный комплекс, там турники, лазилки всякие. Для школьников и подростков.

— Подожди, Мариша. Я сейчас доем, и сходим вместе, — предложила я.

Но Елена мою идею не одобрила:

— Пусть сама идет. Там за ребятами аниматор присматривает. Специально все сделали, чтобы родители спокойно посидеть могли.

— Может быть, Митя покажет где? — обернулась к мальчику я.

Но тот отчаянно замотал головой, покраснел, забормотал:

— Там все просто! Направо и за угол!

Мария моя разобиделась окончательно. Встала, резко задвинула стул, царственно молвила:

— Разумеется, я во всем разберусь сама.

И удалилась. А Митя с отчаянием взглянул на маму. Та обернулась ко мне:

— Простите. Я понимаю, ваша дочка расстроилась. Но дело в том, что Дмитрий вам кое-что рассказать хочет. По секрету.

Я даже растерялась:

— По секрету от кого? От Маришки?

— Ну да, — простодушно отозвался мальчик. — Она у вас еще маленькая, зачем ее пугать, что вы в Замке Синей Бороды живете?

— Где мы живем? — ахнула я.

— Дмитрий. Ты обещал, что будешь максимально корректен, — укорила Елена. И обратилась ко мне: — Юна, пожалуйста, не волнуйтесь. Нет никакого Замка Синей Бороды. Обычные для маленького городка страшилки. И сплетни.

— Ничего это не сплетни! — горячо начал мальчик, но Елена мягко попросила:

— Не спеши, Митя, сейчас я предоставлю тебе слово. Но сначала дам вводные. Очень кратко, не волнуйся. Мы здесь, в Агатополисе, шестой год. Точнее, шестое лето. Купили квартиру одни из первых — когда только началась мода на болгарские дачи. Конечно, многих в городе знаем, за местными новостями следим — как иначе не погибнуть со скуки? Впрочем, что здесь за новости? Приехал цирк шапито. На причале к началу сезона сделали подсветку. Несерьезно, никакой интриги. То ли дело — дом, который вы снимаете. Он в Агатополисе постоянный раздражитель. Всех горожан интересует чрезвычайно.

— Почему?

— Хотя бы потому, что местные не имеют к нему ни малейшего отношения. В любом болгарском городе ведь как: есть несколько своих застройщиков, которые работают по полному циклу. Они сами выбирают участки, получают нужные разрешения, возводят дома, облагораживают территорию, потом продают квартиры. Налаженный бизнес, чужих в нем нет. Однако ваш замок — это целиком и полностью проект какого-то бонзы из России. Землю иностранцам в Болгарии не продают, поэтому он специально зарегистрировал фирму с участием местных. Но к своей стройке болгар на пушечный выстрел не подпускал. Строителей из России привозил, с Украины...

— И потом их убивал, а тела закапывал на участке, — вставил Митя.

— Слушай, прекрати свои шуточки! — уже всерьез прикрикнула на него Елена. И продолжила:

— Все материалы, технику русский тоже сам заказывал. И делал многое своими руками. Я лично его не видела, но Митя бегал смотреть: богатый человек, миллионер, а целый день наравне со своей бригадой работает. В спецовке, в кедах старых. Строить не умел, вечно то порежется, то раствором обольется. Но старался. Дом действительно получился красивым. Два года назад все было готово. Хозяин вроде бы сообщил, что переезжает сюда навсегда, вместе с семьей. В Агатополисе затаили дыхание. Но никто так и не приехал. Что случилось — наверняка никто не знал. Одни говорили — арестовали. Другие — сошел с ума, умер, сменил имя, сбежал на Кайманы. В общем, исчез. Имущество пустили с молотка. Дом мечты купила болгарская фирма. И стала его сдавать на лето, зимой-то здесь совсем делать нечего. Прошлым летом были три арендатора, в этом году — вы первые...

— Мам! — возмущенно перебил Митя. — Ты прямо кот Баюн. Обещала ведь: коротко! Сейчас малышка вернется, а ты пока не рассказала ничего!

— Подожди еще ровно одну минуту, — властно молвила Елена. И с прежней неспешностью продолжила: — Вы, Юна, наверное, успели понять, что у меня за сын. Непоседа и егоза. У него каждый год здесь — новая тема, скольких мне нервных клеток стоит! То по заброшенным домам он лазит, то уверяет, что лох-несское чудовище видел.

Митя даже подскочил:

— Ма-ам! Клевета!

Но женщина не обратила на него ровно никакого внимания, продолжала, обращаясь ко мне:

— А в прошлом году — в одиннадцать лет —

Митя сделался сыщиком. Преступлений в Агатополисе, правда, не бывает, да и клиентов, чтобы расследование поручить, у него не имелось. Ну, он и взялся — на общественных началах — за вашим домом следить.

— А почему именно за ним?

— Ну, других-то — таинственных! — у нас нет! — с удовольствием включился в беседу мальчик. — Только старый, дощатый, напротив маяка. Но с ним все понятно, и живет в нем скучный дед, если видит русского, сразу начинает спрашивать, читал ли он «Поднятую целину». А про ваш замок миллионы легенд ходили. Вплоть до того, что хозяин на самом деле не в тюрьме и не на Кайманах, а живет *под домом*. В глубоком бункере.

— Что?! — ахнула я.

— Не обращайте внимания, — попросила Елена. — Это очередная Митина шуточка.

— Ну, может, и не живет, но *дух* его в доме точно остался, — важно заявил мальчик. — И этот дух чрезвычайно не любит, когда там селятся посторонние.

— Митя. Ты меня пугаешь, — вздохнула я.

А мальчик покровительственно молвил:

— Не волнуйтесь. Вы — нормальная, поэтому вам он ничего плохого не сделает. А вот та тетка, что в прошлом июле жила, сразу после молодоженов... Видели бы вы ее! Тоже русская, но ни с кем никогда ни слова, с ней здороваются — отворачивается. Ходила только в черном — хотя лето, жара, и не мусульманка она никакая ни разу. Даже на пляже в черном платье и в черном платке сидела и не купалась никогда. Конечно, мне стало интересно!

— И Митя начал мне врать, что теперь он будет бегать, готовиться к марафону, — констатировала Елена.

— Но я и правда туда бегал, — пожал плечами мальчик. — А обратно ездил на автобусе.

— Как вы не боитесь? — не выдержала я.

Мать юного исследователя горько вздохнула:

— А чем его удержишь в четырех стенах? Планшетом?! Зрение без того минус четыре. И на пляже просто загорать он не хочет.

— Что я, овощ, что ли? — хмыкнул Митя. — Да и чего бояться? Агатополис — самый мирный городок в Европе.

— А так хотя бы занят человек, — грустно усмехнулась Елена. — Бинокль, одежда маскировочная, что там у тебя еще было? Порошок, чтоб отпечатки пальцев снимать?

— Ага, — вздохнул Митя. И улыбнулся виновато: — Но я им не воспользовался. Перетрусил очень!

* * *

На самом деле следить оказалось довольно скучно. Ну, стоит себе дом. Забор — как положено в Болгарии, не глухой. Разглядывать сквозь него можно. Но пробраться на территорию — никак. Митя однажды — когда дама в черном спустилась на пляж — попробовал протиснуться сквозь прутья. Но немедленно завыла сирена, раздался собачий лай (псы, правда, не показались).

Пришлось позорно ретироваться, и больше к забору мальчик не приближался. Понял, что дом примочками для безопасности оснащен по высшему разряду. Если имеется фальшивый собачий лай, то и видеокамеры по всему периметру ограды стоят наверняка.

Однако загадка неулыбчивой дамы продолжала занимать его воображение. Митя даже местное население решил опросить, хотя болгарского никогда не учил, а только смешные слова запоминал. (Попкорн, например, будет «пуканка». А «не трогай» — «не пипай».)

Однако болгары — кто жестами, а кто на оставшемся от социализма русском — ничего интересного ему не поведали. Дама вроде была вдовой и страдала по безвременно почившему мужу. Хотя зачем для того, чтоб страдать, ехать на черноморский курорт и снимать дорогой особняк? Или, может, леди только на людях изображает скорбь? А дома, когда одна, поет и веселится?

Впрочем, окна загадочная особа зашторивала не всегда. И сколько ни наблюдал Митя за ней — ничего подозрительного не увидел. Женщина и дома ходила в черном. Ела, пила чай, иногда смотрела телевизор или читала. Но чаще всего — очень часто — просто сидела, не шевелилась. Мите в подзорную трубу удалось перехватить ее взгляд. Ничего, кроме грусти, в нем не было. «Чего я, правда, привязался к несчастной тетке? — устыдился парень. — Видно ведь: человек страдает. А по какой причине — какая разница?»

И решил: «Все. Конец расследованию. Завтра с мамой на пляж пойду».

Но сегодняшнюю «смену» нужно было закончить. Исключительно из практических соображений. Времени — два часа дня. В засаде, в тени сосны, — хорошо. Но на солнце — плюс сорок три. У водителя автобуса как раз обеденный перерыв. И топать в такую жару пешком — радости мало.

Агатополис пусть не Испания, но летом здесь тоже сиеста. Или, как минимум, ленивое настроение. Митю жара разморила, он раззевался, задумался: не подремать ли, раз со слежкой все равно покончено?

Но прежде, чем развалиться на удобной походной подстилке, кинул последний взгляд на дом — и сон сразу развеялся. Черная дама — хотя в обеденное время обычно на террасе сидела — куда-то собралась. Решительным шагом вышла во двор, в руках (Митя в подзорную трубу разглядел) держит пульт.

Мальчик увидел: у одноэтажного строеньица, стоявшего у ограды, разъехались двери. Похоже, гараж. Он перевел окуляр на него. Увидел: внутри эффектная «Мазда». Дама подошла — почти подбежала — к машине. Куда, интересно, поедет? Все равно не узнаешь. Но, может, раз явно торопится, в спешке забудет охранную сигнализацию включить? И он сможет обследовать хотя бы двор?!

Митя быстренько вылез из своего убежища, начал подбираться короткими перебежками поближе. Чего Черная там копается? Давно бы можно было завести машину да выехать. Или она вспоминает, как передачи переключать?

Мальчик подошел вплотную к забору, принял любопытный «туристский» вид — он здесь просто прогуливается, чего такого? Встал на цыпочки, заглянул в гараж. И глазам своим не поверил.

Отсюда видно было очень отчетливо, никакой подзорной трубы не надо. Вот открытые врата гаража, внутри по-прежнему стоит «Мазда». А черная дама распластана на полу, перед бампером. И, кажется, не шевелится.

Митя не раздумывал ни секунды. Протиснулся сквозь прутья забора — сирены, по счастью, не взвыли. Опасливо огляделся — вдруг собаки все же имеются? Настоящие, а не имитация? Впрочем, даже если они есть — он *обязан* помочь. Что с ней случилось? Инсульт, инфаркт? Стой, Митя, стой. У тебя ведь есть телефон, и симка в нем болгарская. Просто вызови полицию, «Скорую помощь»... Но пока они приедут! А он-то — здесь и может действовать!

Мальчик в несколько мощных скачков домчался до гаража. Присел перед распростертой женщиной, опасливо тронул ее за плечо:

— Вам плохо?

Та лежала неподвижно, глаза — видно — закатились глубоко под веки. Но дышала. Прерывисто, громко.

Митя потряс ее сильнее:

— Вы меня слышите?

Женщина, не открывая глаз, застонала. Губы ее

шевелились, силились что-то произнести. Мальчик присел на корточки. Что она бормочет? «*Коча? Боча?*» Нет: «Доча».

Митя попытался приподнять тяжелое тело — бесполезно. Внутренне обмирая, хлестнул женщину по щеке — никакой реакции, веки по-прежнему сомкнуты, продолжает повторять монотонно: «Доча, доча, доча...»

«Что я время теряю, дурак?»

Мальчик вытащил телефон, нашел номер «Скорой». А уже когда набрал три цифры, взгляд его случайно упал на окно гаража.

И Митя замер от ужаса.

Оператор ответил мгновенно. Настойчиво — и все более раздраженно — требовал объяснить, что случилось. Но несчастный сыщик никак не мог подобрать нужных слов. И тем более не мог отвести глаз от огромных красных букв, мерцавших на стекле: «***Убийца! Твоя дочь придет за тобой!***»

* * *

Погода снова сменилась, шторм закончился, вечер был теплый, но сейчас меня пробрала дрожь. Юный Митя — будто актер, только что блистательно отыгравший Гамлета, устало откинулся на стуле.

Его мама вздохнула:

— Если бы я только знала, где он *гуляет!*

Я поняла, что эту фразу она повторяет далеко не в первый раз.

— Вы это точно знаете? — недоверчиво произнесла я.

— Мы с мэром города в теннис играем, — улыбнулась Елена. — А начальник полиции — его лучший друг.

— И никакого бункера под домом нет?

— Господи, да о чем вы говорите? Все там тщательно обыскали. И версию с бывшим хозяином тоже рассматривали, запрашивали иммиграционную службу. Выяснили достоверно: он покинул Болгарию в мае, больше двух лет назад, и больше в страну не въезжал.

— Но неужели у полиции не было никаких версий — кто это сделал? У этой... Ивановой — муж есть?

— Нет. Мать-одиночка. И вообще никаких родственников.

— Но мог ведь хоть кто-то ей мстить!

— Юна, — Елена взглянула чуть ли не жалобно, — вы только не смейтесь. Митя всерьез уверен, что ей мстил *дом*.

— Что?

— Я понимаю, — понурилась женщина, — звучит совсем глупо... Но я вам еще концовку не всю рассказала. История куда более странная, чем с надписью на экране метеостанции.

Тогда — в гараже — у Ивановой случился сердечный приступ. Серьезный, но, слава богу, не инфаркт. В больнице она пролежала неделю, а потом врачи даже разрешили остаться на море, купаться, загорать понемногу. Тем более что аренда за дом до конца лета заплачена, и если расторгать договор, деньги не вернут. Но Иванова возвращаться в особняк категорически отказалась. Заехала на час — только вещи собрать. Ну, таксист привез ее и, чтобы зря не стоять, не ждать, пока она чемодан укладывает, в городок решил съездить по каким-то делам. Возвращается — точно в то время, как договаривались, — Иванова не выходит. Он звонит ей на мобильник — не отвечает. Звонит в дом — тишина. Но дверь не заперта. Входит — никого. В спальне — чемодан, наполовину собранный. Звал, кричал — не отзывается. Забеспокоился, вызвал полицию. Те приехали, обыскали все закоулки — нету женщины, как сгинула. И на пляже нет. А вечером ее обнаружили в городе. В состоянии, — Елена покачала головой, — просто ужасающем. Брела по улице, всклокоченная, босая, пьяная. И повторяла постоянно: «Я умерла, умерла!!! Я в зеркале не отражаюсь!»

Ее попытались успокоить. Даже зеркало кто-то принес, говорит: «Вот, смотрите!»

Но она все равно кричит: «А там — я не отражалась! Во всем доме не отражалась!»

Своей психиатрической клиники в Агатополисе нет — пришлось везти несчастную в Бургас. И всю дорогу, в карете «Скорой помощи», она продолжала кричать: «Меня в зеркале нет! Я мертвая!»

— Откуда вы знаете эти подробности? — не выдержала я.

— Водитель «Скорой» — мой сосед. Мы с ним

любим выпить по стаканчику ракии. И по-русски он хорошо понимает.

— Ужас какой... — пробормотала я.

— Да. В клинике Бургаса Иванову обследовали. И поставили диагноз: аффективно-шоковая реакция.

— Это что значит?

— Временное помрачение психики. На фоне психотравмирующей ситуации. Но это, собственно, не болезнь — за пару дней само проходит.

— Получается, она не была сумасшедшей? И *действительно* не отражалась в зеркалах?

Я почувствовала, как по телу бегут мурашки.

Елена покачала головой:

— Наверно, все-таки была. Потому что едва ее выпустили из клиники, она покончила с собой. Здесь, в Болгарии. Повесилась.

Я, охваченная паникой, молчала.

Митина мама попросила:

— Только, пожалуйста, сыну моему об этом не говорите. Слава богу, сыщиком он быть перестал.

Взялась за бокал с вином, предложила:

— Давайте еще раз за вашу храбрость выпьем. И простите нас, пожалуйста, за то, что напугали. Глупости это все. Забудьте. Не может мстить людям прекрасный, удобный дом.

— Да мне и не за что вроде мстить, — в тон ей ответила я.

Но страх уже пропитал — каждую клеточку тела.

Вдруг мы сегодня вечером приедем, взглянем на себя в зеркало — и увидим, что нас *тоже нет?*

* * *

Маришка с Митей вернулись с детской площадки под ручку. Причем подросток поглядывал на мою кокетку не свысока, как прежде, а почти с нежностью.

Я просто глазам своим не поверила. А дочурка, нимало не смущаясь, объявила:

— Я Митю в гости на завтра позвала.

Обернулась к его маме, светски добавила:

— Ну, и вас, конечно, тоже.

Дочка знает: я не против ее гостей, но прежде, чем их звать, она всегда должна спросить моего разрешения.

Но, когда рядом Митя — взрослый, умный! — все правила у глупышки из головы вон.

Еще и нахальства хватило заявить:

— Мам, я обещала, что ты свой знаменитый пирог с клубникой испечешь.

И лицо абсолютно невинное. Хотя дочь прекрасно знает: на отдыхе готовить я терпеть не могу. Мы заранее договорились, что еду будем заказывать в ресторанах. А тут от меня требуют сложнейшего блюда. Возиться с ним — минимум три часа. А если духовка незнакомая — может вообще ничего не получиться.

Но жаль стирать счастье, надежду из глаз Маришки. Я вздохнула:

— Будет вам пирог.

— А на горячее я с утра попчеты наловлю, — сообщил Митя.

— Чего-чего? — хихикнула Маришка.

— Попчета — по-русски бычок. Рыбка такая губастенькая. Летом только ловится.

— Не выдумывай, Дмитрий, — строго молвила Елена. — К тому же мне почему-то кажется, Юна не любит чистить и потрошить рыбу. Как и я.

Она улыбнулась мне:

— Я лучше отсюда, из «Боруны», еду закажу. С доставкой. Кстати, тут и десерты отличные. Зачем вам с готовкой возиться?

— Нет-нет, — возмутилась дочка. — В «Боруне» ничего подобного и близко не испекут.

Митя взглянул на меня:

— Мариша сказала, что ваш пирог — как волшебная дудочка из сказки. Люди идут... идут... то есть едят, едят... и не могут остановиться.

— Дмитрий, — еще более строго произнесла Елена. — По-моему, ты забываешься.

Но я возразила:

— А по-моему, он *нарывается*.

— На что же? — серьезно поинтересовался мальчик.

— На поручение. Я никого не кормлю бесплатно своим знаменитым клубничным пирогом.

— Вы шутите? — неуверенно молвил Митя.

— Нет. Ты получишь свою порцию только в обмен на информацию: как звали бывшего хозяина Замка Синей Бороды? То есть Дома мечты. И что с ним стало сейчас?

— Да не вопрос! — оживился мальчик. — В Интернете мигом найду. А не найду — так к маминым связям прибегну. В нее начальник полиции тайно влюблен, он ей все расскажет.

— Ми-итя! — простонала Елена.

А моя вертихвостка попросила:

— Если у начальника полиции есть симпатичный заместитель, познакомьте его, пожалуйста, с моей мамой!

И в такси, когда мы ехали домой, прижалась ко мне, виновато взглянула в глаза:

— Мам, ну прости! Я знаю, что подвела тебя с этим пирогом. И гостей ты совсем не хотела. Но Митя — он такой суперский!

И взгляд — мечтательный, почти влюбленный.

Я не стала разочаровывать дочку: что парню, видно, просто хочется побывать в нашем загадочном доме.

...Доехали мы быстро.

— Спре ли на вратата?[1] — поинтересовался водитель.

Но я царственно молвила:

— Заезжайте внутрь.

И — будто голливудская звезда — нажала на пульт от ворот. Никогда еще в жизни меня не подвозили по личному саду к мраморному крыльцу.

Дом приветствовал нас по высшему разряду. Не только ворота в движение пришли, но еще и подсветка в саду включилась. Тихо зазвучала классическая музыка. И окошки первого этажа приветливо вспыхнули.

— Ти си жена на олигарх[2], — подвел итог таксист.

И сдачу дать — даже не попытался.

---

[1] Остановить у ворот? *(болгарск.)*

[2] Ты жена олигарха *(болгарск.)*.

Настаивать я не стала.

Цветы одуряюще пахли, на их листьях дрожали капельки. В холле было прохладно, зато полочка для обуви, где мы оставили тапки, оказалась с подогревом. А на кухне нас встретил закипающий чайник.

— Мам, — покачала головой Маришка, — может, правда найдешь себе не какого-то начальника полиции или мэра, а сразу олигарха? Чтоб купил нам с тобой этот дом?!

Она с восторгом плюхнулась на диван, важным голосом приказала:

— Мультики!

И огромный экран телевизора послушно явил губку Боба с честной компанией.

— Ты и это уже умеешь! — оценила я.

А дочка снисходительно отозвалась:

— Подумаешь! Голосовые команды сейчас многие телики различают. Вот если бы он умел мульты сортировать — на мальчишечьи и девчачьи! Но нет, этого железка не может. Придется самой искать.

И принялась листать каналы с космической скоростью.

А я поспешила в свое убежище, в капитанскую рубку.

Едва угнездилась в любимом кресле — немедленно зазвенел телефон. Тутошний — черный, стилизованный под старину аппарат. Я взглянула на него почти со страхом — вдруг это *дом* звонит? И сейчас молвит механическим роботоголосом: «Что вам подать?»

Однако это оказался Максим.

— Ой, привет! — Я поняла, что рада его звонку. Однако мой любовник заговорил строго:

— Юна, уже почти одиннадцать. Где вы были?

— Милый, прости, — с искренним раскаянием молвила я. — Нас пригласили в ресторан, а сотовый я дома забыла. Представляешь, мы познакомились...

И хотела уже начать рассказывать, но Максим перебил:

— Но ты могла бы найти возможность! Найти в городе таксофон, у кого-нибудь попросить мобильник. Позвонить, всего два слова мне сказать: у нас все в порядке!..

— Но ты ведь утром с Маришкой говорил... — начала оправдываться я.

— А сейчас — глубокая ночь. Телефоны не отвечают. Вы в чужом доме, одни. До ближайшего жилья — черт знает сколько километров!

— Всего шесть, — усмехнулась я. — И разве не ты сам говорил, что здесь самое безопасное место в мире?

— Но у вас действительно все нормально?

— Максим, да что с тобой такое? Все замечательно у нас. Погода отличная, море теплое. Дом замечательный. Мы ведем размеренную, санаторную жизнь. Познакомились с милой женщиной — у нее в Агатополисе квартира. Вместе ужинали.

— А как Маришка?

— Нагулялась, накупалась. Сейчас смотрит мультики.

— Ну, отлично. — Он наконец начал оттаивать.

Однако тревожные нотки из голоса не исчезли. — Но я все равно подумал: у нас с тобой пока есть возможность исправить эту глупость.

— Какую глупость?

— Что вы живете совсем одни. На отшибе. Ни охраны, ни присмотра.

— Да здесь охрана — президент позавидует! — хмыкнула я. — На участке и в доме видеокамер — штук сто, не меньше. Сирена, имитация собачьего лая. Плюс тревожная кнопка. При любой опасности сама сработает, передаст информацию в город, на полицейский пульт.

— А хозяйство? — гнул свое Максим. — Ты, наверно, устаешь? Не верю я, что дом все может сам делать.

— Ты удивишься, но это так. Мало, что убирает — даже коктейли готовит. Но вообще я не понимаю, — начала злиться я, — почему ты вдруг сейчас этот разговор завел? Когда мы уже здесь?! Или ты предлагаешь нам в пансионат переехать?!

— Ну при чем здесь пансионат, — сбавил тон Максим. — Я просто подумал: тебе нужно нанять помощницу. С проживанием. Пусть занимается хозяйством, за Маришкой присматривает. И ночами вы одни оставаться не будете. Я уже выяснил: в Болгарии достаточно надежных агентств по подбору домашнего персонала.

Что, право, за странная идея?!

— Максим, скажи правду. С чего ты вдруг взял, что за мной нужен присмотр? — усмехнулась я. — Приревновал, что ли?

— А уже есть к кому? — мгновенно отреагировал он.

Я решила его подразнить:

— Ну, я ведь в таком шикарном доме живу. Разумеется, местные мачо поглядывают.

— Но это действительно очень вызывающе выглядит! — горячо отозвался он. — Женщина с маленькой дочкой обитают вдвоем практически во дворце. Мало ли подлых людей?! Ворвутся ночью в дом, будут у тебя требовать деньги, ценности!

— Слушай, Максим, — я совсем растерялась, — но ведь этот особняк *ты* выбирал. Я как раз считала, что нам надо что-нибудь попроще, а ты настаивал. Что сейчас-то изменилось?

— Юна, — его голос потеплел, — я просто очень волнуюсь. За тебя и за дочь. Скажи мне честно: ничего тебя не тревожит?

— Да замечательно все! — искренне отозвалась я. — И Маришке очень нравится.

Вообще-то изначально я собиралась рассказать ему и про *странности* тоже. Про дочкину куклу, которую неведомо кто уложил в постель, про запах озона. Но стоит ли — раз человек и без того весь на нервах?

А уж о *черной женщине,* что жила здесь в прошлом году, тем более не поведаешь. Тогда Максим точно запаникует и перебросит нас в другое, безопасное и скучное место.

Однако мне вовсе не хотелось уезжать из чудесного дома. Да, что-то есть в нем мистическое. Непонятное... Но лично мне, одинокой женщине, очень приятно, когда кто-то, пусть даже бездушный механизм, предугадывает мои желания.

От болгарской домработницы я в итоге отбилась.

Но пришлось раз десять пообещать вести себя очень осторожно. И ночами обязательно ставить дом на охрану.

— Я люблю вас, мои красавицы, — произнес на прощание Максим.

— Я тоже тебя люблю, — машинально отозвалась я.

Положила трубку, задумалась.

Странный какой-то сегодня был мой Максим Петрович. Будто набедокурил, причем крупно. Когда мужик себя виноватым чувствует, женщина сразу улавливает. Но что он мог за пару дней нашего отсутствия натворить? Отправил меня на юг — и еще один роман закрутил?! Нет, вряд ли. Не потянет возрастной и не феноменально богатый Максимушка еще и *третью* женщину. Тут что-то другое. С чего, интересно, пошли разговоры, что в доме опасно, что за нами нужен присмотр? Максим Петрович вдруг — одновременно со мной — узнал про *черную женщину?* Или что в особняке еще какие-то ужасы происходили — и происходят?

Но он ведь нашел нашу виллу через серьезное, с хорошей репутацией, агентство. Неужели ему бы сдали жилье по-настоящему проблемное, криминальное?!

Да и взять историю с пресловутой женщиной в черном. Чего в ней настолько страшного? Никто ее не убивал, не пытал. И вообще, наиболее вероятно — несчастная просто была не в себе после гибели дочери. Если день, ночь, круглые сутки себя точить, даже самая здоровая психика не выдержит, мозг взорвется. Бедняга считала себя виновной. Вот подсознание ее и подтолкнуло: самой себе написать обвинение на экране. Технически это, наверное, возможно. К метеостанции должны прилагаться клавиатура или пульт управления. И отражения своего в зеркале она не видела, потому что считала, что заслуживает смерти.

А я, слава богу, никого не убивала, не предавала, и корить себя мне особо не за что.

Я только успела так подумать — и подскочила в своем уютном кресле-лежанке. Это я-то — не предавала?

А несчастная Максова жена — кого мы больше десяти лет обманываем?!

...Мы с Максимом очень редко говорили о его законной супруге. Лично я ее не видела — только на фотографии в загранпаспорте. (Я понимаю, что на официальных снимках все получаются плохо, но Лариса вышла — просто за гранью.)

Информацию собирала по клочкам: на пять лет старше Максима. Никогда не работала, вела хозяйство, сидела с детьми. И ничего, похоже, не требовала — ездила на уродливом «Форде-Куга», даже на фитнес не ходила.

— Моя жена ни в чем не нуждается, — как-то обмолвился Максим.

«Бедная женщина», — тогда подумала я.

Максим и со мной-то (своей «любимочкой»,

«Юночкой», «лучшей в мире девочкой») иногда бывал резок. А однажды я подслушала, как он со своей законной супругой разговаривает: «Что ты за никчемное создание? Элементарный вопрос не можешь решить!»

И столько обидной снисходительности, почти презрения в голосе...

Хотя какая у нее была проблема, я тоже подслушала: один из близнецов болел ангиной с высоченной температурой, а второй упал, рассек лоб, нужно срочно ехать в травмпункт накладывать швы, и что ей делать, если нет ни няни, ни водителя?

— Зря ты на нее ругался. Я бы в такой ситуации вообще с ума сошла, — укорила Максима я.

И получила неподражаемый ответ:

— Но ты сама еще ребенок! А она — зрелая женщина.

Максим долгое время клялся, что его жена не ведает обо мне. При этом он носил в бумажнике фотографию Маришки, не запрещал мне пользоваться любимыми духами, не обследовал лихорадочно одежду: вдруг прилип мой волосок. А в его телефонной книге я значилась «Зайкой».

Однако незадолго до нашего отъезда на юг Максим — я вспомнила — сказал: его супруга — чрезвычайно злопамятная дама.

Может, жена Макса узнала, что я расслабляюсь на море? Да не в обычном отеле, а в царских хоромах? И решила наконец устроить разборку? Потому Макс и тревожится.

Очень логично.

Однако звонить любовнику, допрашивать его прямо сейчас, совсем не хотелось. Подождем до завтра.

А пока я встала и еще раз удостоверилась, что дверь заперта, дом стоит на охране и все датчики движения включены.

* * *

Лариса краем глаза взглянула на безбрежную морскую синь и равнодушно отвернулась. Как людям не наскучивает подобный пейзаж? Еще специально за *видом* гоняются, доплачивают за него. Дураки!

Женщина вообще не понимала — что хорошего в пляжном отдыхе? Два дня она здесь, а ни малейшего желания не возникло даже подойти к воде, не то что купаться.

Лариса задернула шторы, чтобы блики не падали на монитор, и нетерпеливо забарабанила пальцами по столешнице.

Ну и задачку она себе задала!

Поначалу казалось: за полчаса все получится. Подумаешь, проблема — найти в *Сети* человека. Да еще известного.

Однако пошел третий день, трафика израсходовано страшное количество, с кем только ни общалась, за кого себя ни выдавала — а результат нулевой.

Неужели сложно отозваться? Ответить: «Беру тебя в команду. Жди указаний».

Ну, или, если нет, то «Пошла вон».

Обижаться она не будет. Просто тогда придется придумывать новый план.

Время тянулось мучительно. Убивать его было нечем. Единственное, что хотя бы минимально развлекало, — любимый компьютер. Не игрушки, разумеется, — сейчас не до них. Лариса изо всех сил демонстрировала *неведомому* все, что она умеет.

Хотя, скорее всего, он о ней и знать не хочет. А если даже видит — тут, в Сети, — все равно не снизойдет до контакта.

«Значит, буду пробовать сама», — решила она.

Но страшно, ох, страшно! Мало ей Макса в роли врага, теперь еще нового себе наживет, куда более серьезного.

«Пожалуйста, отзовись!» — гипнотизировала она лэптоп.

Но тот равнодушно мерцал заставкой и молчал.

* * *

Дом прилагал все силы, чтобы я провела приятную ночь. В комнате приятные плюс двадцать три — при этом кондиционер не шумит и ледяным потоком в шею не дует. Солнце сквозь плотные портьеры не пробивается. Уютно, тихо — словно в гнезде. Только отдаленный шум моря; пахнет свежестью, солью и почему-то арбузами. Непонятно, откуда приятные ароматы берутся — окна ведь закупорены?

Но спалось мне все равно плохо. Чудилось несколько раз, будто надо мной склоняется женщина в черном. Вроде та самая, что жила в особняке прошлым летом, но лицо у нее почему-то — жены Максима. Я вздрагивала, просыпалась. В миллионный раз корила себя, что связалась с женатым.

Проснулась в итоге рано и с головной болью.

Едва я всунула ноги в тапки, «умная» ванна сразу начала наполняться водой (с пеной и ароматом лайма, как я люблю). Но я вручную закрыла кран и сразу поспешила в комнату к Маришке.

— Мамусик! — Дочка ракетой выпрыгнула из постели, голоногая, бросилась ко мне.

Мордаха веселая, подзагоревшая, глаза сияют. Требовательно накрутила прядь моих волос себе на пальчик:

— Мамусик, какая ты умница, что рано встала! Значит, мы успеем сходить на море!

Шторы в ее комнате уже были подняты, солнечный диск заглядывал лукаво в окно. И настроение мое тревожное мигом кануло вместе с тревогами ночи.

Я, в тон Маришке, отозвалась:

— Конечно, мы сходим на море! Или ты думаешь, что я, как Золушка, целый день буду у плиты стоять?

* * *

Маришка меня уговаривала отправиться за клубникой на водном мотоцикле:

— Рынок ведь у самого моря, подплывем, бросим якорь, все вообще обалдеют!

— А на обратном пути — клубнику подавим или утопим, — хмыкнула я. — Нет уж. Я позвоню Манолу и спрошу, можем ли мы поехать на машине.

— А тут есть машина? — удивилась дочка.

— Тут, оказывается, есть все, — вздохнула я.

...В гараж, если честно, заходила со страхом. Но экран метеостанции, встроенный в оконное стекло, встретил меня приветливой надписью: «Добрый день! Сейчас плюс 24 градуса, атмосферное давление в норме, дороги сухие. В вашей крови нет алкоголя, счастливого пути!»

И машинка оказалась будто специально для меня скроенной. Даже сиденья с зеркалами подстраивать не пришлось.

До рынка мы доехали быстро. Но рядом с ним оказались батут, аттракционы, множество ларечков с заколками, панамками, магнитиками. Маришка, разумеется, уговорила меня прокатиться с ней на цепочной карусели, пострелять в тире, купить ей соломенную шляпу, а потом и пообедать — в уличной кафешке, где жарили удивительно вкусные палачинки (то бишь блинчики).

В итоге возвращались мы домой в самую жару. Маришка побледнела, начала подкашливать, и я решительно отправила ее отдыхать.

Дочь направилась в свою комнату со столь послушным, ангельским видом, что я сразу поняла: спать, как обещала, она не собирается. Ну, пусть просто полежит в постели с книжечкой или даже планшетником — тоже польза.

А мне пора браться за коронное блюдо — клубничный пирог.

Однако, едва я отмерила два стакана муки для теста, на втором этаже тихонько скрипнула дверь. (Какой дом ни «умный», а дверные петли только человек смазать может.)

Интересно, куда моя принцесса направилась? Читать дочери морали я вовсе не собиралась — в конце концов, человеку восемь лет и спать днем в ее годы вовсе не обязательно. Но любопытно ведь! И я на цыпочках перескочила из кухни в мониторную комнату. (Маришка называла ее «Центром управления полетами».)

Я не спросила у Манола, где конкретно в доме располагаются камеры и можно ли вообще наблюдать *за чьими-то передвижениями внутри*. Но сейчас убедилась: все имеется. И организовано очень просто, никаких кнопок нажимать не надо.

В данный момент светились лишь два экранчика: один давал картинку с лестничной площадки второго этажа, второй — дочкину спальню. И отчетливо было видно Маришку — она стояла на пороге своей комнаты и настороженно оглядывалась. Я еле удержалась, чтоб не фыркнуть. Шкодный вид, очень шкодный. Не надумала ли моя принцесса украдкой сбежать на пляж? Или, того паче, на свидание к Мите?

Однако нет: пошла Маруся вовсе не вниз — но осторожно, на цыпочках, по коридору, вдоль комнат второго этажа. Картинки на мониторе услужливо сменялись. Вот дочка минует мою любимую гостиную — капитанскую рубку. Дальше на ее пути оказалась пустая гостевая спальня. Маришка открыла дверь, вошла. Заглянула под кровать, приподняла ковер, открыла дверцу шкафа. Что она ищет?.. Комната — я тоже в нее заходила — нежилая. Шкаф пуст, кровать без белья — только покрывало сверху.

Дочка сердито тряхнула головой, снова вышла в коридор. Возле лестницы он расширялся, превращался почти в зал. И прямо здесь располагались несколько огромных, под потолок, книжных шкафов — они придавали дому чрезвычайно интеллигентный вид. Дочка надолго застряла у полок. Достала одну из книг.

Камера услужливо — сама — исполнила приближение.

«Остров сокровищ», — прочитала я на обложке. В восемь лет — самое то, что надо. Интересно, возьмет она Стивенсона с собой?

Но девочка быстро полистала страницы, сморщила нос — и вернула книгу на место.

А я вдруг устыдилась. Зачем за собственной-то дочкой шпионить? Ну, хочется ребенку побыть наедине с собой. Исследовать чудо-дом. Или она для Мити экскурсию готовит. Какая разница? Мое дело сейчас — пирог с клубникой.

Я вернулась на кухню.

Коронное блюдо требовало не только вдохновения, но и тщания. Отделишь неаккуратно желтки — и все, белок не взобьется. Плохо просеешь муку — вкус будет грубоват. Не до конца разотрешь масло с сахаром — станут попадаться неприятные комочки. А каких бед — это вам любая хозяйка подтвердит! — может натворить непривычная духовка!

Но в «умном доме» кухня оказалась напичкана столь неимоверным количеством полезных гаджетов, что я себя не кухаркой ощущала, но творцом, шеф-поваром крутейшего ресторана.

Например, имелась в моем распоряжении специальная рыбка для разбивания яиц — она сама раскалывала скорлупу и лихо затягивала желток в пасть. А чего стоил миксер — чуть не с тысячей различных режимов и скоростей? Форма для пирога тоже оказалась не простая, а с датчиком: при малейшем намеке, что тесто *может* подгореть, обещался звуковой сигнал.

И даже хвостики у клубники выдергивать не пришлось: я обнаружила специальное устройство, которое так и называлось: «strawberry tails remover».

С тестом я справилась быстро. Перелила его из миски с функцией «антибрызги» в чудо-противень, антипригарный, с датчиками готовности. Поставила пока на рабочий стол. Рядом установила блюдо с клубникой. И только приготовилась украшать пирог, когда услышала Маришкин зов:

— Мам! Иди скорее сюда!

Голосок, мне показалось, встревоженный.

Ну почему у детей всегда возникают проблемы в самое неподходящее время?

Ведь один из ключевых моментов клубничного пирога — готовое тесто нужно как можно быстрее украсить ягодами и засунуть в духовку, иначе оно осядет.

Я высунулась из кухни:

— Маришка, у тебя что-то срочное?

— Да, очень! — отозвалась дочь.

Но просто *бросить* тесто — значит, насмарку весь труд.

И я, прежде чем выйти из кухни, нашла на панели управления духовкой функцию «keep warm». «Максимум +35», — заверила меня электроника.

Отлично. Это сбережет мой пирог. Ненадолго.

Я поставила противень в духовку.

Выходя из кухни, обернулась. Удостоверилась: функция «keep warm» показывает тридцать пять градусов.

Но через полчаса тесто все равно осядет безнадежно.

Я весьма раздраженно крикнула:

— Мария, что ты хотела?

— Мам, — голос доносился откуда-то сверху, — ты только посмотри, куда я забралась!

Я задрала голову.

Лестница и холл второго этажа снизу просматривались отлично и были пусты.

— Ты где?!

— На чердаке! — радостно доложила дочка.

Вот юная негодяйка!

Прежде чем бежать за ребенком, я заглянула в мониторную — все равно по пути. И с удивлением увидела: все экраны были темные. Чердак оказался в *систему слежения* не включен. Да и дверь туда я тоже, кажется, не встречала.

— Мама! — требовательно выкрикнула дочь. — Я тебя жду!

Я взбежала на второй этаж. Огляделась. Холл, книжные стеллажи, закрытые двери в комнаты.

Никаких лестниц. И никаких следов Маришки. Что за наваждение!

— Мама! — Голосок Маришки теперь звучал весело. — Ты меня видишь?

Я задрала голову и опешила.

В первую секунду мне показалось, дочка стоит на самом верхнем книжном стеллаже, под потолком. И лишь потом я разобрала, что полка является порогом и за ней виднеется вход в комнату.

— Как ты залезла туда? — ахнула я.

— Нашла секретную лестницу! — с восторгом доложила дочь. — Иди к самому дальнему книжному шкафу. Ключ ко всему — «Алые паруса»!

Я ненавидела эту книгу. Красивое вранье — для наивных маленьких девочек. Все они, как когда-то и я, ждали, что их приведут во дворец. А повезло лишь одной Кейт Миддлтон.

Я не успела додумать мысль, добежала до шкафа, замерла в изумлении. Стеллажи книг (утром — я сама видела — они стояли друг к другу вплотную) разъехались в две стороны, между ними появилась узкая лестница.

«Алые паруса» Грина валялись на полу — несчастные, будто подбитая птица. Лестница выглядела совсем ненадежной. Но там, наверху, была моя дочь, и я бесстрашно взлетела по шатким ступенькам. И первым делом убедилась: с Маришкой все в порядке, она румяная и улыбается.

А вот *чердак* произвел на меня впечатление гнетущее. Опасностью от него веяло. Холодом. И безумием.

Представьте себе комнату без окон, площадью

не больше кухоньки в хрущевке, потолок нависает над самой головой. И в это крошечное, пропыленное пространство напихано ужасающее количество золотого, пурпурного, хрустального. На низком потолке висит массивная — только лоб об нее разбить — дворцовая люстра. У стен, обитых красным бархатом, притулились отделанные золотом низенькие шкафы. В углу — потемневшее от времени старинное зеркало, пыльный комод. Перед ним — безвкусный ярко-малиновый пуф.

— Мам, мам! — прыгала дочка вокруг меня. — Смотри, все какое маленькое! Это ведь настоящий дворец — для девочек, для меня! Представляешь, как здорово?

Возможно, восьмилетней дочери безвкусно раззолоченная комнатенка и казалась дворцом. Но я видела в ней совсем другое. Плесень на ярко-желтом. Прорехи на бархате. Клубы пыли по углам. Не убирали здесь пару лет, это как минимум, в носу у меня сразу зачесалось. А для Маришки — мы ведь сдавали тест на аллергены! — пыль и плесень самое опаснос. Ей ни в коем случае нельзя находиться здесь!

— Дочь, а ну, быстро вниз! — сурово велела я. — Пока у тебя приступ не начался!

— Мама, — снисходительно молвила дочь, — ну разве ты не понимаешь? Мы с тобой сейчас в сказке, и никакой астмы в ней быть не может.

Глупое маленькое упрямое создание! Я прежде никуда не тащила свою девочку *силком,* но сейчас — сделаю это!

Хитрюга будто почувствовала — отскочила от

меня в глубь комнатухи. От прыжка из старого ковра взвился буквально столб пыли, и я простонала:

— Мариша! Пожалуйста!

— Какие все взрослые скучные, — презрительно молвила дочка. Топнула ножкой, заявила: — Никуда отсюда не уйду.

Повернулась ко мне спиной, распахнула платяной шкаф и ахнула от восторга:

— Мама! Ты только посмотри!

Пыльный шифоньер оказался забит нарядами.

Десятки платьев. На турнюрах, со шлейфами и пеною кружев. Нежных, девичьих цветов. И — детских размеров.

Дочка схватило одно — и тут же чихнула.

Я решительно вырвала яркую тряпку у нее из рук, рявкнула:

— Вниз!!!

Но Маришка упряма. Прежде чем исполнить приказ, сдернула с плечиков другой наряд, подбежала к порогу своего «дворца», сбросила платье на пол. И лишь потом начала спускаться.

Едва мы оказались в безопасном — без единой пылинки — холле, я потребовала:

— Как закрывается твой тайный ход?

— Элементарно, — снисходительно молвила восьмилетка. — Смотри.

Она подняла книгу Грина, поставила ее в пустую ячейку на полке, чуть надавила — и я рот от изумления разинула. Со скрипом, с каким в провинциальных театрах меняются декорации, ряды фолиантов поползли друг к дружке и плотно сомкнулись.

— Но я обязательно туда пойду еще раз, — заверила меня дочь.

Обняла, просительно потерлась щекой о мое предплечье:

— Мам, я разумная, понимаю: пыль, все дела. Но и ты меня пойми: я никогда в жизни не бывала во дворце. Специальном, для девочек. Давай туда затащим суперпылесос и все вымоем. Пожалуйста!

— Ладно. Там видно будет, — буркнула я.

И подняла с пола платье.

В полумраке комнаты-«дворца» оно мне показалось типичной карнавальной дешевкой. Однако сейчас я увидела шелковую подкладку, пену дорогих кружев. И даже камешки, которыми был отделан лиф, казались не стекляшками, но по меньшей мере гранатами и цирконами.

— Мам, мам, можно я примерю! — прыгала вокруг меня Маришка. — Оно такое красивое, просто вообще обалдеть!

И видно было по ее упрямому личику: не отстанет. А если я заикнусь, что нельзя надевать чужие вещи, — просто расплачется.

Ладно, попробуем рискнуть. Но прежде я велела Маришке как следует намочить одежную щетку. Вышла во двор, изо всех сил встряхнула платье. Выколотила его о перила, потом долго счищала с него пыль. Мимолетом увидела ярлычок: height 128. Точно на мою дочь. И снова в сердце стрельнула тревога. Раньше здесь жила девочка одного с Маришкой роста? Или эта странная, а скорее, даже страшная комната предназначена именно для *моей дочери?*

Ф-фу, что за бред? Кому и зачем надо строить для Маришки пыльный дворец?!

Конечно, это было чужое царство. И в отличие от дружелюбного дома — показалось оно мне отталкивающим, враждебным.

...Дочка хотела переодеться в своей комнате и явиться передо мной во всем великолепии, но я, сама не знаю почему, не позволила. Наблюдала, как неловко она натягивает роскошь бархата и кружев на худенькие плечи, воюет с корсетом.

Готовилась рассмеяться, сказать: «Снимай скорее эту безвкусицу!»

Однако, когда платье было надето, я застыла от изумления. Преображение дочери поразило. Только что была пичуга, угловатая и нескладная, но теперь передо мной стояла маленькая принцесса. Причем не девчонка — девушка. Платье каким-то хитрым образом имитировало грудь (хотя у Маришки ничего еще *там* нет, зачем потребовала купить ей купальник — непонятно). И талию подчеркивало — при том, что фигурка у моей дочери совсем пока плоская.

Мариша увидела себя в зеркале, запрыгала от восторга:

— Вау, мамочка! Только туфли... туфелек не хватает! Давай прямо сейчас в эту комнату слазим, пожалуйста! Там они найдутся, я знаю! Хрустальные, как у Золушки!

Любуется на себя — а сама побледнела, носик трет, дышит тяжело.

Конечно. Разве вычистишь одежной щеткой многолетнюю пыль?

— Мария! — приказала я. — Немедленно снимай свой наряд!

— Но я хочу туфли!

— Снимай, я сказала!

Получилось непривычно строго. Дочь взглянула опасливо, стала расшнуровывать корсет. По щеке скатилась слезинка.

— Я... я позвоню в управляющую компанию, спрошу, — пообещала я. — Может быть, нам разрешат сдать эти платья в химчистку... Тогда ты сможешь их поносить.

Маришка всхлипнула — и вот уже и на второй щеке слезка.

— Я... я хотела Митю в нем встретить, — прохныкала она. — А ты не разрешаешь! И туфелек нету-у!

И заревела. Пыль плюс слезы. Два самых для астматика опасных компонента.

— Миленькая моя, не расстраивайся, — начала я.

Но дочка взглянула зло. Отпрыгнула. Выкрикнула:

— Мама, ты злая! Злая!

И — будто Бог решил ее наказать за обидные слова — немедленно раскашлялась.

Все, доигрались.

Я подхватила дочку под руку, помогла дойти до дивана, распахнула окно, приказала:

— Дыши! Дыши глубже!

А сама кинулась за ингалятором на первый этаж.

Но добежать до сумочки, где он лежал, не успела. Увидела: из-под кухонной двери валит черный дым. Почему? Откуда?! Если работает «keep warm», температура просто не может подняться выше плюс тридцати пяти.

Я охнула, решительно ворвалась внутрь. Меня сразу обволокло серое марево, я закашлялась. Что горит? Что случилось? Короткое замыкание в проводке? В электрической плите?

А наверху — дочка с приступом астмы. Она уже наглоталась пыли, сейчас до нее вдобавок запах гари дойдет, и тогда все — без «Скорой помощи» нам не обойтись.

Я захлопнула за собой дверь — хоть какое-то спасение для Маришки. Но мне сразу стало вдесятеро сложнее и страшнее. Дым ел глаза, горло, почти ничего не было видно, но я на ощупь пробралась к плите.

Дотронулась до духовки и немедленно отдернула руку. Раскаленная. Но я не включала ее! Не включала!!!

Я открыла дверцу печи и закашлялась от дыма, отшатнулась от отвратительного запаха. А когда копоть и гарь слегка рассеялись, увидела: мой пирог — в антипригарной форме, с кучей датчиков! — превратился в кучку угольков.

* * *

Манол примчался — по болгарским меркам — почти мгновенно. То есть через тридцать минут. За это время я успела пореветь, а главное — снять у Маришки приступ, уложить дочку в постель. И даже убедила ее, что ничего страшного не случилось, я не шла долго просто потому, что не могла найти ингалятор. Запах гари на второй этаж, где оставалась девочка, по счастью, не дошел.

Я улыбалась Маришке, успокаивала ее, но сама умирала от страха. И даже не знала, чего боюсь больше: того, что в доме кто-то есть, или своего собственного сумасшествия. У меня провалы в памяти? Я поставила пирог в духовку и включила ее? Но зачем — если я даже клубнику сверху не положила?!

...Манол из моего отчаянного звонка ничего не понял — кроме того, что я хочу уехать. И едва вошел, сразу завел песню: что это мое право, однако деньги за аренду, согласно договору, не возвращаются. Но я резко оборвала его соловьиные трели. Спросила, как можно медленнее и четче, чтобы он наверняка разобрал неродной язык:

— Скажите, Манол, если мы в доме и он стоит на охране — сюда может кто-то войти?

Болгарин не сомневался ни секунды:

— Исключено. Я ведь объяснял вам еще в прошлый раз: здесь многоступенчатая система защиты. Датчики движения и все прочее. Сразу сработала бы сирена, вызов поступил бы к нам на пульт.

— Хорошо, — кивнула я. — А может быть такой вариант, что кто-то *находится — уже находится!* — в доме?

— Кроме вас? — захлопал ресницами Манол и попытался пошутить: — Ну, может быть, комары, мухи. Хотя нет, здесь стоят специальные ультразвуковые отпугиватели.

Рассмеялся собственной шутке, но под моим суровым взглядом быстро сник.

— Пойдемте, — пригласила я.

Отворила дверь в кухню — и поразилась: запаха гари не было. Вообще. Даже намека. Ну да. Тут ведь «умная» система кондиционирования...

Сгоревший пирог (я вынула его из духовки) стоял на столе.

— Как это вы не усмотрели! — осудил болгарин.

Я решила начать издалека:

— Сама удивляюсь. На форме для выпечки стоит датчик. Он должен был подать сигнал, едва тесто начнет не подгорать — всего лишь подрумяниваться. А духовка в таком случае и вовсе должна была отключиться.

— Ну, значит, не сработала электроника, — флегматично отозвался Манол. — Бывает. Счастье, что пожара не случилось.

— Я хотела приготовить клубничный пирог, — продолжала я. — Клубника — вот, она должна была быть сверху. — Я показала ему на блюдо с ягодами. — Но меня отвлекла дочка, я поставила тесто в духовку, чтобы оно не осело, и включила малый подогрев. Понимаете, малый, функция «keep warm»! Вышла из кухни. На полчаса. Потом вернулась...

— Потому что забыли положить в пирог клубнику? — проявил смекалку Манол.

— Черт! — взорвалась я. — Говорю вам: я вообще не включала духовку!!! Функция «keep warm» просто слегка прогревает, но не печет. Она даже находится в другом месте, встроена в варочную панель.

— Не может быть, — уверенно отозвался болгарин.

— Пошли, — снова приказала я ему.

Обернулась и повела парня в мониторную. Манол обреченно топал за мной. Я велела:

— Давайте посмотрим вместе. В кухне ведь есть видеокамера?

— Есть, но... — слегка растерялся Манол, — но те камеры, что в доме, работают не всегда.

— Почему?

— У нас нет такой цели: наблюдать за вами. Да вы и сами бы воспротивились — ведь это нарушение приватности. Поэтому они только иногда включаются. Чтобы проконтролировать, как все системы в доме функционируют.

— Сегодня камеры работали, — отрезала я. — Я сама в них наблюдала, как дочка второй этаж исследует. Кто, кстати, решает, когда их включать, а когда нет?

Манол пожал плечами:

— Автоматика. Если вдруг какой-то сбой, нам только сообщение об ошибке приходит. А мы вас не видим. Никогда, не бойтесь. У нас на пульте картинка только с улицы. Входная дверь. Ворота. Забор и территория вдоль него.

— Хорошо. Найдите мне, пожалуйста, изображение из кухни. За последние полтора часа.

Болгарин не слишком уверенно подошел к клавиатуре. Извлек из внутреннего кармана бумажку со списком команд. Сверяясь с ней, начал жать на кнопки. Замелькали картинки: я пью кофе в капитанской рубке (это еще утром), мы с дочкой выходим на пляж, Маришка на втором этаже крадется вдоль книжных стеллажей...

— Стоп, стоп, — закричала я.

Манол послушно остановил калейдоскоп.

— Вот, видите! — комментировала я. — Вот кухня. Я заканчиваю делать тесто... выливаю его в форму... а потом — Маришка меня зовет на второй этаж... сейчас я включу функцию подогрева...

Но тут картинка погасла.

— Почему? — ахнула я.

— Я ж говорил вам: электроника сама решает — когда снимать, когда не снимать, — усмехнулся болгарин.

— Хорошо, давайте дальше посмотрим, когда я прибегаю, а тут почти пожар!

...Однако следующим изображением стали *мы с Манолом*. Вместе входим в кухню, я показываю ему на сгоревший пирог...

— Странно, — нахмурился болгарин.

И взглянул на меня подозрительно:

— Вы тут ничего не стирали?

— Конечно, нет! — психанула я. — Во-первых, я не умею. А во-вторых, какой мне смысл — если я сама, допустим, сожгла пирог — вызывать вас и разводить панику?!

— Да нет, нет, конечно, нет никакого смысла, — растерянно молвил Манол.

— Но в чем тогда дело?! — чуть не плача выкрикнула я. — Как это все объяснить?

— Да не волнуйтесь вы, Юна! — расщедрился на улыбку он. — Я вам все сейчас очень убедительно аргументирую. В доме — перебор с электроникой. И она иногда слишком много на себя берет. Уборка автоматическая, постели сами убираются. Слишком наворотили, отсюда и все беды. Зачем поручать технике вещи, которые издавна горничные делали? Вот мы и получаем парадокс, когда слишком умный мозг не может справиться с простейшей задачей.

— Но в печи куча степеней защиты, — парировала я. — На все случаи! Антипригарная форма. Специальный датчик, если пирог только начинает подгорать. А главное — никакая хозяйка не доверит «умному дому» самому включать духовку. Она всегда сделает эта сама.

— Ой, ну подумаешь, — отмахнулся Манол. — Дала электроника сбой. Хотите — мы вам компенсируем стоимость муки и прочего, что там на тесто пошло.

— Да не надо мне ничего компенсировать, — вздохнула я.

Мне бы понять: почему вдруг?! Дом, прежде столь предупредительный, заботливый, стал проявлять ко мне агрессию. За что? Мы с Маришей ему ничего плохого не делали. Вошли, правда, в секретную комнату с детскими платьями. Может, нельзя было? Но почему?

И я упорно повторила:

— Не верю я в восстание машин... Давайте все-таки посмотрим записи с внешних камер. Раз электроника глючит — в дом запросто мог кто-то войти. А ваши хваленые сирены и прочие датчики не сработали.

— Ну, давайте смотреть, — неохотно произнес Манол. — Хотя у меня рабочий день уже закончился.

— Ничего, — безжалостно молвила я. — Попросите, чтоб заплатили сверхурочные.

Болгарин вывел на экраны изображения с уличных камер. Спросил устало:

— С какого времени будем смотреть? Только — уверяю вас! — случись что подозрительное, мы бы и у себя, в конторе, увидели.

Но я упрямо произнесла:

— Давайте на быстрой промотке, но прямо с утра. С десяти, когда мы с Маришкой ушли на пляж, а потом уехали в город.

— Как прикажете. — Он нажал на «play» и лениво раскинулся в кресле. Впрочем, уже через пару секунд насторожился, прильнул к экрану, вдавил кнопку «стоп».

Я тоже вздрогнула, прищурилась на монитор. На улице, у забора — точно под видеокамерой — стояла женщина. Внимательно смотрела в объектив — и улыбалась. Насмешливо, едко.

— Что ей тут надо? — возмущенно пробормотал Манол.

Вновь нажал на воспроизведение, нахмурился еще больше — однако ничего интересного не последовало. Дама медленно, с достоинством, обернулась — и двинула прочь.

Манол вздохнул облегченно, молвил:

— Обычная зевака. Ничего плохого не делала. Потому в конторе тревогу и не подняли.

— Да... — с трудом выдохнула я.

Я ничего не стала говорить болгарину.

Но тетку, что насмешливо мне улыбалась, я узнала сразу. Это была Лариса. Жена Максима Петровича.

* * *

Мой любовник снял трубку на втором гудке.

Я не стала тратить время на table talk — бухнула сразу:

— Макс. Твоя жена здесь.

Пауза. Кашлянул. Наконец произнес — а голос фальшивый-фальшивый:

— Ты уверена, Юночка?

Я перебила, заорала в ответ:

— Это ты очки носишь, а у меня зрение в порядке! Она под забором стояла и прямо в видеокамеру пялилась!

— Вот чертова баба! — устало выдохнул он.

— Ты, я смотрю, и не удивился. Значит, знал? Знал, да?!

— Нет, Юна, что ты! — горячо возразил он. — Конечно, не знал. Я просто видел, что она злится, ревнует...

— Ну удружил! Ну спасибо! Обещал мне: милое, райское, безопасное место! И вообще клялся, что твоя жена про нас не в курсе!

— Она правда была не в курсе. Очень долго, — раздраженно пробормотал Макс. — А совсем недавно нас выследила. Узнала, что у меня дочь. Ну, и понесло ее...

— Извиняйся. Падай в ноги. Моли о пощаде. Или разводись, — перечислила варианты я.

— Да ничего она не слушает... — заблеял Макс. — Заладила: предатель, ненавижу, отомщу! Понимаешь, так еще сложилось неудачно, что раньше она всегда была занята. Хозяйство, дети, кружки. А теперь сыновья уехали и ей просто делать нечего. Вот и сует свой нос, куда не надо.

— Слушай, не надо оправдываться, — перебила я. — Мне плевать, как ты будешь разбираться со своей женой. Скажи, что делать нам?!

— А что тут можно сделать? Не обращай внимания. Потерпи. В вашу крепость она все равно не проберется, — жалобно произнес Макс. — Лариса не диверсант.

— То есть ты предлагаешь мне забаррикадироваться и держать осаду, — саркастически произнесла я. — Нет уж, мой милый, спасибо. Я возвращаюсь домой.

Хвала моему не слишком щедрому любовнику — он не стал упрекать, что стоимость аренды не возвращается. Лишь вздохнул горько:

— А как же море? Ты написала заявление до сентября, у Маришки каникулы, для ее астмы юг очень полезен...

— Спасибо, но мы лучше в Москве.

— Лариса тебе что-нибудь уже наговорила? Сделала? — запоздало поинтересовался Макс.

Я на секунду задумалась.

Манол клялся всеми христианскими святыми, репутацией фирмы и своей собственной, что в дом, когда тот стоит на охране, никто войти не мог. Сгоревший мой кулинарный шедевр — недоразумение, ничего больше. И женщина, что попала в объектив видеокамеры, отношения к этому иметь не может. Категорически.

Потому я неохотно произнесла:

— Пока ничего она мне не сделала. Просто возле дома околачивалась. Думаешь, приятно?

— Слава богу, — облегченно выдохнул Макс. И с жаром продолжил: — Ну, и потерпи пару дней. Ей надоест. Или, если еще раз увидишь, полицию вызови. Жалобу напиши, что она тебя преследует.

— Слушай, а *ты сам* никак со своей женой разобраться не можешь? — возмущенно произнесла я.

И тут он наконец взорвался:

— Она ушла от меня! И деньги мои украла.

— Ничего себе! — ахнула я. — Как?

— Мобильный банк мой взломала, — буркнул он.

— Что? — пробормотала я. — Твоя клуша-жена *взломала мобильный банк?!* Она такое умеет?!

— Ну, может, пароль подсмотрела. А код подтверждения сосканировать — это вообще баловство.

— Ничего себе баловство! — ледяным тоном молвила я.

Возможно, тут и лежит разгадка всех моих несчастий?!

Коли его кикимора разбирается в компьютерах — управлять «умным домом» она сможет без труда. И спалить пирог — месть, кстати, очень женская.

Но как она получила доступ ко всей электронной начинке?! Неужели настолько умелая хакерша?

Впрочем, чего гадать?

— Все, Максим, — твердо молвила я. — Мне такой отдых на пороховой бочке не нужен. Я куплю билеты на завтрашний рейс. Встреть нас, будь добр.

— Ну, если ты так хочешь... — окончательно растерялся он. И совсем тихо добавил: — Только вам с Маришкой придется пока у меня пожить. Ну, или в гостинице.

— Это еще почему?!

— Да Лариса... она ключи от твоей квартиры нашла. В моем портфеле.

Вновь замолчал.

— И что?!

— Что, что... Разнесла там все у вас. Но ты не волнуйся. Мебель новую я уже заказал, сейчас рабочих ищу, чтобы ремонт сделали. Все затраты тебе компенсирую. И новую технику куплю.

— Ты шутишь!

— Нет, Юна. К сожалению, нет.

Я закрыла глаза. Свою миленькую квартиру, любимую, выхоленную, выстроенную под себя норку я еще успею оплакать. Потом. Вопрос другой: что мне делать *сейчас?*

Я швырнула трубку на рычаг и горько усмехнулась. Ничего себе отпуск! Да у меня на работе — ответственной, нервной — стрессов куда меньше, чем здесь.

Все, хватит себя жалеть. Нужно сосредоточиться, собрать раздрай в голове...

И тут раздался звонок.

Я бросилась к двери, увидела на экране домофона: сияющий Митя с букетом цветов. За его спиной — Елена. Боже мой! Они ведь пришли в гости, на мой кулинарный шедевр!

Маришка тоже услышала, кубарем скатилась со второго этажа, бросилась ко мне:

— Мам, а пирог-то готов?

Я нажала на кнопку «открыть ворота».

И, пока Митя с мамой шли по участку, сказала дочери:

— Пирог сгорел.

— Как?!

— Пока мы с тобой платье примеряли.

— Ну, мам, ты даешь! — с укором произнесла Маришка.

Однако на пороге уже явился Митя, и дочь мигом убрала с лица кислое выражение, засияла улыбкой:

— Как замечательно, что вы пришли!

А когда мальчик протянул свой букет не мне, а ей — в глазах своей дочери я увидела столько надежды и счастья, что сердце защемило.

«Бедная ты моя глупышка! — подумала я. — Сколько тебе еще разочарований во взрослой жизни предстоит».

Я-то видела, с каким нетерпением парень вертел головой по сторонам. Понятно, для чего и цветы принес — чтоб *экскурсовод* изо всех сил старался.

— Мариш, давай я поставлю букет, а ты пока покажи Мите дом, — предложила я.

А едва дети умчались, Елена обеспокоенно произнесла:

— Юна, что-то случилось? На вас лица нет.

Смотрела настолько сочувственно, что я едва не начала выкладывать о таинственном *барабашке*, уничтожившем пирог, о кознях жены любовника.

Да, Юна, ты дошла — практически постороннему человеку готова исповедоваться.

Я вымученно улыбнулась:

— Нет, все нормально. Только пирог сгорел.

— Ну, это к счастью, — немедленно отреагировала Елена. — Тем более мы и десерт с собой принесли. На всякий случай.

Она еще раз внимательно взглянула на меня, но больше с расспросами не приставала. Мы начали болтать о пустяках и накрывать на стол. Я с трудом притворялась счастливой и беспечной. Впрочем, мне показалось, Елену сегодня тоже что-то гнетет. Глаза грустные, руки подрагивают. Едва тарелку тончайшего фарфора не разбила — успела поймать у самого пола.

— Вы чем-то расстроены? — не удержалась я.

— Нет, все хорошо, — поспешно — слишком поспешно — отозвалась она.

— Ну, тогда пойдемте ужинать, — пожала плечами я.

Мы с трудом дозвались детей и сели за стол.

Во время еды болтал один Митя. Перечислял одну за одной опции «умного дома» и сердился на Елену:

— Мам, чего ты не ахаешь?

— А чего мне ахать? Подумаешь, постель сама застилается. Я про все это читала.

— Но! — вскинул правую руку Митя. — Я и тайну надписи в гараже раскрыл!

— Какой надписи? — немедленно вскинулась Маришка.

Парень осекся, зажал ладонью рот.

Я бросилась спасать положение:

— Митя рассказывал, когда ты вчера на спортплощадке была. Кто-то на окне гаража написал... э... название группы...

— «Spice girls», — на лету подхватил мою ложь парень. И продолжил: — Мы с Маришей ходили в гараж и нашли пульт управления метеостанцией. Там действительно есть мини-клавиатура.

— И Митя написал на экране, что я очень красивая. Вот! — не удержалась дочка.

Елена улыбнулась. Дети — оба — смутились.

Я решила срочно сменить тему. Обернулась к мальчику, спросила:

— Митя, а ты узнал, кому раньше принадлежал наш дворец?

— Ну... — Глаза парня метнулись вправо, потом в потолок. — Я пытался, честно. Но в Интернете этого нет, а мама мне помочь не смогла.

Настолько горячо оправдывался, что я сразу поняла: врет. Да еще и Елена явно смутилась, смотрит в сторону.

Что все-таки такое с проклятым домом?

— Маришка, — обратилась я к дочери. — Вы с Митей не хотите в бассейн сходить?

— А можно? — удивилась она. — Ты сама говорила: только под твоим чутким контролем. И вообще детям после захода солнца купаться нельзя.

— Ничего, тебя Митя проконтролирует. И воду погорячее сделайте, — отмахнулась я. — Полотенца подогрейте. Там все просто. Митя, разберешься?

— Да! — заверил парень.

— Точно? — строго взглянула на него Елена.

— Мам, ну, конечно. Я все проверю, — затараторил он.

— Смотри. Под твою ответственность. — Женщина взглянула на него почти с угрозой. — И в воду заходи первым.

Дети умчались.

А я внимательно взглянула на Елену:

— Почему вы не хотели пускать их в бассейн?

— Ну... вечер уже. Прохладно, — смутилась она.

— А по-моему, очень жарко, — парировала я. И слегка повысила голос: — Что вы от меня скрываете?

Елена вздохнула:

— Да грустные у нас новости. Мы узнали, кому раньше принадлежал дом, и вам это совсем не понравится. Его строил — для себя и для своей семьи — Михаил Томский. Слышали о таком?

Я слегка растерялась:

— Тот самый? Который... лучший программист России?

— Да. Именно тот.

— Ну, тогда понятно, почему здесь все настолько электронное, — улыбнулась я. Впрочем, немедленно снова нахмурилась: — Но подождите... мне говорили, хозяин дома в тюрьме. А за что программиста сажать в тюрьму?

— Юна, вы правда не знаете? — удивленно взглянула Елена.

— Понятия не имею.

— Михаил Томский был женат. У него росла дочь... — начала моя собеседница. Сдала паузу. Видно было, насколько ей не хочется продолжать.

Я терпеливо ждала.

— Дочка — ровесница вашей Маришки. И похожа, кстати, на нее: светленькая, зеленоглазая, озорная. Томский девочку очень любил, во всех интервью обязательно говорил, что она — свет его жизни.

Я сразу вспомнила с любовью обставленную детскую комнату. И «пещеру принцессы», полную платьев.

— Неужели вы газет не читаете, телевизор не смотрите? — недоверчиво взглянула на меня Елена. И сама себе ответила: — Хотя да, тему тогда очень быстро замяли. Я еще подумала: кто-то очень не заинтересован, чтобы о преступлении Томского все СМИ трубили.

— Лена, ну не томите вы, — поторопила я. — Что он сделал?

Та глубоко вздохнула. И решительно выпалила:

— Томский мечтал здесь жить с дочкой и с любимой женой. Но за месяц до переезда он *убил* свою девочку. Выстрелил из своего охотничьего ружья прямо ей в сердце.

— Зачем? — Вопрос получился глупым, но мне было все равно.

— Говорили, сошел с ума.

— Где он сейчас?

— Арестован. В психушке. Или в тюрьме.

Елена взглянула на меня виновато:

— А его *дом* с тех пор словно взбесился. Мстит каждому, кто переступает его порог.

* * *

Двадцатью годами ранее

Сева Акимов подозревал: его усыновили. Или матушка налево сходила, хотя и не признается даже под пытками. Но как иначе объяснить, почему он совсем не такой, как они?

Родители у него, оба, будто с портретов, что висят в школьных классах. Папаша — вылитый Добролюбов. Маман — дама с собачкой. Возвышенные, беспомощные. И честные до зубной боли. Даже при социализме белыми воронами были. А едва в девяностых дело двинулось к капитализму, родичи скисли полностью. Мало, что крутиться не умели, даже то, что по закону положено, не брали. Талоны отоваривали через раз: в очередях им стоять, видите ли, некогда. А сигареты с водкой вовсе не нужны. (О том, чтобы перепродать, и помыслить не могли.)

Оба работали в школе, получали копейки и каждый вечер тоскливо говорили об одном — что страну развалили и поколение потеряли.

Сева, в то время бунтарь-подросток, пытался переделывать родичей, но быстро капитулировал. Бесполезно спорить с людьми, кто готов «лучше терпеть лишения, чем совершить бесчестный поступок».

Ладно, пусть хоть с голода помирают. Сами. А он будет жить так, чтобы к старости обязательно обрести не духовную красоту, не бесполезный багаж знаний, не снисходительное уважение потомков, а деньги. Обязательно деньги. И много.

Как добиваться заветной цели, Сева пока не знал. Способностей у него не имелось — ни к наукам, ни к спорту. Да еще глазки свиные, уши оттопыренные. Голос тихий, *формулировать*, как родаки умели, четко и ясно, тоже не мог.

Быть бы ему — еще со школы — изгоем, но, по счастью, обнаружил в себе Сева единственную способность. Умел он услужить лидеру стаи. Причем не банальной «шестеркой» был, не подхалимничал, не подхихикивал глупо, а быстро становился незаменимым. Свой вариант контрольной написать не успеет — а другу решит. Сам в кино на новый фильм не пойдет — но *хозяину* заветный билетик в зубах притащит. Все поручения выполнял безропотно, деньгами, что давали на обед, делился. Кто откажется от личного адъютанта?

Гимназия, где Сева учился, была из элитных, с углубленным изучением математики и фотографиями известных выпускников в холле. Хулиганов здесь почти не имелось. А к девятому классу даже середняков разогнали, оставили только продвинутых. Севу тоже хотели «попросить», но родители раз в жизни осмелились показать зубы. Пригрозили, что вместе с сыном уйдут — преподавать в школу по месту жительства, на окраине.

В итоге Акимовы, всем семейством, остались в престижном местечке. А вот прежнего *босса* Севы, приколиста Юрца, из синекуры изгнали. Нужно было срочно искать, к кому прилепиться.

Весь сентябрь разрывался: с кем устроить симбиоз?

Толян, министерский сынок?

Гога (папа — режиссер, мама — актриса, и сам в «Ералаше» снимался)?

Но в итоге выбрал Мишку Томского.

Причем сначала сам не понимал — зачем?

«Мохнатых лап» у Томского не имелось. На вид — типичный слизень. От девчонок шарахается. Молчун. Смеется не над анекдотами, а невпопад. Однажды прямо на уроке расплакался, потому что ему в голову красивое доказательство теоремы пришло. Не отличник, даже по точным наукам. То, что ему неинтересно, принципиально не учил. Но училка по физике настаивала: Томский — гений.

«Ладно. Буду при нем нянькой. Вдруг правда прославится? И я заодно — как Арина Родионовна. Может, даже в учебники попаду», — усмехнулся про себя Сева.

Служить Томскому оказалось куда сложнее, чем исполнять капризы хулигана Юрца. У того хотя бы потребности человеческие были — пивко, видак, девчонки. А Мишане то редкая книга понадобится — без зазрения совести гонит адъютанта в библиотеку. То реактивы заставлял смешивать. А всего хуже было, когда гений в депрессию впадал: часами мог сидеть, уставившись в стенку. И попробуй в таком состоянии накорми его, заставь уроки выучить, отведи в школу! (Родителей у Томского не имелось, жил со старухой теткой, которая своего *странного* племянника откровенно побаивалась и совсем не любила.)

Сева знал: Томский наблюдается у психиатра, тот выписывает ему таблетки. Но Мишка их пил через раз. Потом и вовсе к доктору ходить перестал. Тетка настаивать не стала. Врач тоже не побеспокоился, не звонил. В стране перестройка, всем все по барабану. Даже в их когда-то строгой гимназии никого не волновало, что Михаил совсем забил на «официальную» учебу, съехал на «трояки» и принципиально занимался одной лишь физикой.

Но в десятом классе учительница информатики решила отправить на районную олимпиаду по программированию именно Томского. Предмет по тем временам был совсем диковинный. У них на всю школу — элитную гимназию! — компьютер имелся единственный. Поэтому установка была просто поучаствовать.

— Чего это тебя посылают? — удивился Сева. — Ты даже в гонки играть нс умсссшь.

— Чтобы программу написать, компьютер вообще не нужен, — фыркнул Томский.

И неожиданно для всех привез из района первое место.

Учителя обрадовались, отправили на городскую олимпиаду — а Мишка и там победил!

Сразу поднялась суета. Старшеклассника немедленно взяли в сборную России по информатике (имелась, оказывается, в стране и такая).

Чемпионат России по программированию проходил в Санкт-Петербурге.

— Поехали со мной! — простодушно позвал друга Томский.

— На какие шиши? — вздохнул Сева.

— Мне без тебя будет плохо, — констатировал Михаил.

И отправился в Питер один.

Вернулся отощавший, простуженный, с температурой, пропахший потом и с безумными огоньками во взоре. Равнодушно вывалил из чемодана посеребренную статуэтку — гран-при. И сообщил Севе:

— Через два месяца в Кейптаун поедем. На чемпионат мира.

— Ты поедешь, — пожал плечами Акимов.

— Нет, мы оба, — с нажимом молвил одноклассник. — Я теперь звезда, я им условие поставил.

И тщетно Сева искал в его жарком гриппозном взгляде насмешку или хотя бы самолюбование.

...Именно в Кейптауне Сева впервые увидел доллары. А еще лэптоп и компьютерные игрушки с неземной красоты графикой.

Российскую делегацию букмекеры осторожно называли «темной лошадкой». Но Акимов считал: у наших гениев вообще нет никаких шансов. Хотя бы потому, что все задания — на английском, а Мишка его почти не знает. Как можно соревноваться, когда условие задачи не можешь прочесть?

И когда объявили победителя — Mikhail Tomsky, Russia, — Сева едва в обморок не грохнулся. А компьютерному гению — хоть бы хны. На сцену за призом отправился с видом наикислейшим. Интервью давал сквозь зубы — дитя, блин, холодной войны! А далее последовал потрясающий по своей безумности поступок.

Американцы сразу предложили российскому гению грант в Массачусетском технологическом. Покрывал он все: учебу, отдельную комнату в хостеле, учебники, — да еще и стипендия немалая.

Время дикое, 1996 год, в стране бывшей советской нищета, бабули у метро хлебом торгуют.

«Ох, прилепиться бы к нему в той Америке — хоть кем!» — тоскливо думал Сева. С трудом изобразил радость за друга, спросил:

— И когда ты там учиться начинаешь?

Чудила Мишка взглянул удивленно:

— Никогда. Еще чего — программированием заниматься! Я им по горло накушался, пока к этой дебильной олимпиаде готовился. Скукотень!

И тут Сева наконец понял: вожделенный *золотой чемоданчик* у него под диваном.

Правильно, Мишка, умничка! Не надо тебе никакого Массачусетского технологического. Оставайся в России. Иди без экзаменов в свой любимый МИФИ, двигай чистую науку. А я останусь с тобой рядом и буду постоянно капать тебе на мозг.

Скучно ему информатикой заниматься, видите ли. Ничего, дорогой. Придется. В программировании крутятся бешеные, абсолютно сумасшедшие деньги. И если ты в семнадцать лет — лучший в мире, сколько ж ты к тридцати годам заработаешь?!

...Но только Мишка оказался удивительно крепким орешком. Традиционные «морковки» (деньги, девочки, рестораны, машины, слава) не действовали на него абсолютно. Настоящий стал синий чулок. Вроде бы студент, а жил, как старик. Даже джинсов не носил — говорил, что ткань жесткая, жмет ему, неудобно. Носил растянутые совковые треники — иногда даже в институт в них ходил! Корпеть над формулами готов был сутками. Ел, пил, только когда давали. Амбиций — ноль (желание доказать теорему Пуанкаре не в счет).

Но Севину заботу принимал — кто откажется? Акимов бегал для друга в библиотеку и за кефиром, пылесосил его квартиру, иногда Томский ему и кое-какие расчеты поручал — несложные.

Уже на первом курсе заговорили, что талантливый физик вместо диплома будет писать кандидатскую, и Сева совсем приуныл. Дурак этот Томский! В стране столько всего интересного, нового! Тот же текстовый редактор «Лексикон» можно усовершенствовать или собственную программу придумать, покруче. Один раз продашь — сразу богач. На всю жизнь с нынешней инфляцией не хватит, но годик-другой можно почивать на лаврах спокойно.

А еще можно игрушки компьютерные изобретать. Или в Америке вон: банки грабят как-то по Интернету. А друг все долдонит: «Программирование — примитив, там развернуться вообще негде».

И нормальные аргументы — что только здесь можно кучу денег срубить — на святого человека не действуют.

Пожалуй, не получается у них симбиоза — то бишь взаимовыгодного сотрудничества. Один комменсализм[1]. Даже нет, хуже. Томский — потребитель и сволочь, всю жизнь ему испортил.

«Бросать его надо», — решил Сева. И уже начал глазами по сторонам стрелять, нового хозяина себе подыскивать.

Но однажды столкнулся во дворе с бывшей их одноклассницей, Настей.

Та — первая в школе красотка и умница — в институт поступать не стала. Севины родители с осуждением говорили (а сын не гнушался подслушивать), что нашла себе Настенька покровителя высокого полета. С «Мерседесом», охраной и связями чуть не уровня Ельцина.

Сева, в отличие от мамаши с папашей, девчонку не осуждал. Хихикнул про себя: «Тоже симбиоз».

Но, похоже, не заладилась у Насти красивая жизнь. Сева мигом углядел изрядный фингал под прелестным голубым глазиком, разбитую губу. А главное, куда подевался уверенный, насмешливый, отражение неба и моря, взгляд! Сейчас стрельнула на него глазами из-под капюшона, будто побитая синичка, заковыляла быстренько прочь.

Но Сева нагнал, взял за плечо. Да еще осмелился поерничать:

— Настюш! Ты никак на карате записалась?

И девчонка взвилась:

---

[1] Комменсализм — ситуация, когда одна из популяций извлекает пользу от взаимоотношения, а другая не получает ни пользы, ни вреда.

— Отвали от меня, урод!

— А я-то что тебе сделал? — опешил Акимов.

Но несчастную красавицу понесло:

— Да все вы козлы, предатели! Ты, что ли, свою курицу не бьешь?!

Сева не стал оправдываться. И утешать Настену тоже не начал. Процедил:

— Чушь несешь. Нормальные мужики баб не трогают. Наоборот, на руках носят, розы дарят корзинами.

— Себя в виду имеешь, свиненок? — жестко бросила девушка.

И снова Акимов решил не обижаться. Отозвался спокойно:

— Ну, я — вариант бесперспективный. А вот Мишка Томский из тебя бы принцессу сделал. Он теперь звезда, миллионер.

— Мишка? — фыркнула Настя. — Миллионер?! И давно?

— Да с тех пор, как у любого нормального человека — компьютер. А Томский в программировании гений.

— И чего он уже напрограммировал? — Девушка неприкрыто заинтересовалась.

— Ишь, какая хитрая, — улыбнулся Акимов. — Сразу готовенького тебе подавай. Фильм смотрела? Генерала сначала вырастить нужно. Пойдем, расскажу как.

По-хозяйски подхватил красавицу под руку. Привел в кафе. Взял бутылку мартини. И начал рекламную кампанию.

Что такие, как Мишка, раз в сто лет рождаются. «Но за гениальным мужчиной всегда стоит сильная женщина, хоть Сальвадора Дали возьми с его Галой, хоть Булгакова с Еленой Сергеевной. А у Томского музы нету. Потому и стимула не имеется — заниматься выгодным делом».

— Некого ему розами осыпать, вот и тратит природный ресурс не на программирование, а на дурацкую физику.

Настя быстро захмелела. Оперла голову на руку, хихикнула:

— А я думала, Томский — он вообще импотент. Ну, или педик. Вечно с ним ходите чуть не в обнимку.

До чего хотелось Севе вмазать красавице во второй глаз! Однако удержался, сказал спокойно:

— Нет, Настенька. Томский — мужчина очень даже традиционной ориентации. Но он — как спящая красавица. Прежде чем пользоваться, разбудить надо. Влюбить в себя. И тогда он для тебя горы свернет.

— Что-то как-то все слишком сложно...

— А ты попробуй! — усмехнулся Акимов. — Спутника жизни у тебя, я так понял, временно не имеется. Вот и поставь эксперимент. Спорю на стольник баксов, что через два месяца тебе Томский бриллиант подарит. Минимум в два карата.

— Ой, какой ты болтун, Сева! — фыркнула девушка. — Знаешь, сколько те два карата стоят? Да и у тебя — откуда сто долларов?

Но все-таки ударили по рукам.

Сева боялся: на следующий день Настена, после бутылки «Мартини», ничего и не вспомнит.

Но девушка оказалась ответственной. Уже в полдень Томскому позвонила. Ласково попросила прийти и помочь разобраться с бестолковым «Лексиконом».

Гений в тот момент корпел над очередной теоремой и только буркнул:

— Севку проси, мне некогда!

Но Настя проявила настойчивость. Сева, со своей стороны, тоже поучаствовал. Заставил Томского сходить в душ. Погладил ему рубашку. Даже лохмы волос кое-как подстриг. Впрочем, почти не сомневался, что гений сбежит от Настюши уже через полчаса.

Однако Мишка вернулся лишь к полуночи. И в глазах его — еще с утра скучных, вялых — огонек блестел яркий, счастливый, дьявольский.

Посмотрел на Севу глазами полного олуха:

— Представляешь? Она хочет сходить со мной в театр!!! В «Большой», на «Жизель».

— Если партер, то минимум две стипендии, — мгновенно отозвался Акимов. — За один билетик. Плюс буфет, цветы...

— И костюма у меня нет, — пробормотал Томский.

— Да у тебя ничего нет, — хмыкнул Сева. — А красивые девки все хищницы. Сначала театр. Потом шубу потребует. Дальше — особняк. Ну ее в болото!

«Сдрейфит? Сдастся?»

— Но она такая... такая... — Технарь Томский тщетно силился подобрать эпитет.

— Она — женщина для богатого, — назидательно молвил Сева. — Выкинь ее из своей гениальной башки.

— Нет, — помотал головой друг. И прищурился: — Сколько, ты говоришь, этот чайник Пажитнов получил за свой «Тетрис»?

— Да ну, о чем ты? Компьютерные игрушки — это ведь жуткий примитив! — горячо молвил Сева. — Ты создан не для них. А для чистой науки.

— Заткнись, — со счастливым лицом отозвался Томский.

...А через два месяца Настя выдала Акимову сто пятьдесят долларов.

Тот попытался вернуть ей полтинник:

— Забыла? Мы на сотню поспорили.

— Все я помню, — хихикнула девушка. — Но решила поступить математически. Бриллиант оказался в *три* карата, а не в два. Пять зеленых кусков стоит!

Что ж. Дурак — он и есть дурак. Почти весь свой гонорар на бабу спустил.

Впрочем, Мишкина широкая натура Севе была только на руку.

* * *

Миша Томский никогда не надеялся, что с ним будет жить женщина-совершенство.

В школе однажды попробовал объяснить про евклидово пространство самой красивой в классе девчонке.

Принцесса с колдовскими русалочьими глазами слушала внимательно. И даже похвалила Евклида за красивый афоризм: «К геометрии нет царской дороги». А к Томскому на следующий день подошли двое бугаев. Популярно объяснили ботанику, что его место — «последнее, возле параши». На память о разговоре у Миши остался глубокий шрам над бровью.

Впредь он общался лишь с теми девчонками, кто «свои парни», — в МИФИ подобных хватало.

И когда в его жизнь опять вошла красавица, очень долго ждал от нее обмана, подвоха. Что Настенька посмеется да бросит. Натравит на него очередных бугаев. Окажется глупой. Станет ему докучать. Тянуть деньги. Раздражать.

Однако лапонька оказалась не только телом прекрасной — еще и душою само совершенство. Никогда ничего не просила (бриллианты он сам дарил). Вела хозяйство, держала себя в форме. Постоянно повторяла: «Ты умный, ты скоро добьешься успехов — просто неописуемых!»

Поспорили единственный раз: когда Михаила позвали на работу в корпорацию «Microsoft», а он отказался.

— Но почему? — искренне удивилась Настенька.

— Не хочу институт бросать. У меня докторская, студенты...

— Зачем тебе диссертация? — Она прижалась к нему. — Ты и так гений.

Он не стал объяснять, что фундаментальную физику невозможно освоить по наитию. А если начнешь работать на американцев, времени сидеть в библиотеке не останется. Крепко стиснул милую в объятиях:

— «Microsoft» — это клетка. Пусть золотая. То

ли дело наша с Севой маленькая, но перспективная фирма.

— Вы процветаете, пока кризиса нет, — проявила здравомыслие девушка.

— Не волнуйся. — Томский чмокнул ее в очаровательный носик. — Сама говоришь: у меня мегамозг. Не пропадем. Даже в кризис.

Будь Томский один — он по-прежнему занимался бы тем, что нравилось. Писал докторскую, преподавал. Питался бы хлебом, запивал кефиром. Но (коли встречает тебя по вечерам самая прекрасная в мире женщина) приходилось ей обеспечивать: дорогой фитнес-клуб, путешествия, обновки. А на все это физикой не заработаешь. Но отвлекался ради Насти в охотку. Счастье, ему придумать бестолковую компьютерную игрушку нетрудно. И сочинить скучную до зубной боли бухгалтерскую программу — занимает всего лишь вечер.

Настенька мягенько, будто кошечка, пыталась его подталкивать в сторону светской жизни.

Кое в чем преуспела. Они жили на Рублевке, недалеко от Москвы — снимали в Барвихе дом, на участке с ландшафтным дизайном, вековыми соснами и бассейном. Оба ездили на хороших машинах. Изредка Михаил покорно сопровождал Настю на премьерах и тусовках — в жестком, отглаженном костюме и шелковом галстуке. А сидеть у камина, пить виски, курить сигары его даже заставлять не надо было.

Но приручить лесного зверя не удается никому. Томский по-прежнему комфортнее всего себя чувствовал один, в бардаке и безмолвии кабинета. Растянутые верные треники выбросить не давал. Привычки тоже сохранил плебейские. Чай (особенно если работал) прихлебывал с громким чмоканьем. Ногти грыз. А лощеным супермаркетам, куда водила его Настя, предпочитал забытый богом рыночек в стороне от правительственной трассы. Специально по дороге домой сворачивал с Рублевского шоссе на плохонькую дорогу и делал крюк в десять километров.

Считал, именно на том базарчике — настоящая модель России. Свежесть имеет привкус гнили. Улыбка всегда готова взорваться скандалом. А то, что натурально и вкусно, обязательно при этом убогое, кособокое, грязное.

Михаил покупал у бабулек свеколку, капусту домашнюю, квашеную. Слабенькие парниковые огурцы, зеленый лучок. Сметанку, молоко. (Настя очень сердилась, что пьет его Михаил не кипяченым. Упоминала сальмонеллез и еще какие-то страсти.)

Томского — оригинала на «Линкольне» — на рыночке знали, любили. Предлагали товары наперебой. А ему частенько становилось стыдно за собственную успешность, благополучность. И хотелось каждой старушке в штопаных одежонках подкинуть деньжат. Не за товары — просто так.

Но он сдерживал глупые порывы — спасибо Севке.

Друг (а теперь и партнер по бизнесу) всегда учил: «Деньги, брат, раздать — дело нехитрое, любой сможет. Но как сделать, чтобы тебе потом на шею не сели?»

Михаил несколько раз брался помогать совсем дальним родственникам (тетка к тому времени уже умерла). Деньги в какие-то фонды переводил, в благотворительных аукционах за лоты боролся. А Севка потом выяснял, рассказывал, как люди его помощью распорядились. Что брат троюродный (клялся, что на операцию нужно!) в больницу почему-то не лег, зато приладил к дому пристройку. А главарь известного добродельного фонда отправился за счет собранных средств на международную конференцию по проблемам сиротства. Причем полетел бизнес-классом.

Потому Михаил — когда покупал у старушек — проявлял лишь минимальное благородство. Сдачу с крупных купюр не брал. Но круче никак не блажил, и даже в разговоры не вступал, чтобы жалобить не начали.

Но сегодня молочница прицепилась, будто репей:

— Мил-человек, купи, вон, у девчонки лукошечко!

И головой мотает на соседний прилавок. А там — смех! — очередной «натуральный продукт». Плетеные корзинки — убогие, кособокие, соломой щетинятся. Торговка под стать: курносая, в платочке. Но товар нахваливать взялась залихватски:

— Хоть по грибы, хоть по ягоды, или для интерьера — вот, посмотрите: настоящий стиль прованс.

Михаил от лукошек отвернулся, на продавщице чуть задержал взгляд — личико лубочное, почти страшненькое. Но журналы глянцевые, похоже, читает, слова употребляет модные: интерьер, прованс!

А молочница шепчет, как только бабки умеют, то есть на весь рынок:

— Это дебильные детишки плели! И деньги все для ихнего детдома пойдут. Он тут недалеко, в двадцати километрах.

Михаил про себя усмехнулся: похоже, слух о нем, щедром простаке на «Линкольне», прошел по всем окрестностям.

Окинул продавщицу внимательным взглядом.

Та смутилась, глаза долу, забормотала:

— Вы извините... Просто Новый год скоро, детки подарки ждут. И крыша у нас течет, а строителям заплатить нечем, сами шифер кладем...

Ну, откровенное пошло: «Сами мы не местные...»

Однако он протянул курносой тысячную купюру. Не удержался, пошутил:

— Купи шапку. А то тебе платочек совсем не идет.

Девчонка вспыхнула:

— Вы... вы что?! Это не мне, это ведь все для детишек!

Но он уже шел прочь. И если обычно с рынка выходил благостным — сейчас настроение было ни к черту.

...Настенька встретила, как всегда, улыбкой:

— Ой, Мишаня мой пришел. Молоко? Давай я отнесу в кухню. Тебе прямо сейчас налить или перед сном сделать, с медом?

Обычно видел ее — ослепительно красивую, ласковую, заботливую, *свою личную и безраздельную собственность* — сразу и сердцу мило, и *дружок в штанах* начинал шевелиться. А сегодня вдруг прочитал в безупречных ясных глазах фальшь, скуку. Досаду: «Явился, прыгай теперь вокруг тебя, всячески ублажай».

Тряхнул головой — наваждение слетело.

А Настюша продолжает щебетать:

— Как ты думаешь, что у нас сегодня на аперитив?

Долго не гадал, назвал свой любимый коктейль:

— «Лонг-Айленд».

— Вот и нет, милый. — Она сама поставила его ботинки на полочку для обуви, ловко подхватила пиджак. — Представляешь, сегодня в нашем супермаркете была викторина. Знаешь, эти обычные промоакции, с глупенькими вопросами: «Откуда произошло слово “шампанское”?» Ну, и все в таком духе. Я просто так анкету заполнила, для смеха. И представляешь? Набрала максимальный балл. Дали приз. Коллекционный коньяк. Пятьдесят два года бутылке!

— Какая ты у меня умница! — привычно похвалил он.

И отдал ей сегодняшнюю рубашку, облачился в мягкий домашний блейзер. Откинулся в кресле, принял из Настиных рук коньяк, далее последовал идеальный ужин, уютное чаепитие, зажигательный секс, теплое (но не кипяченое!) деревенское молоко с медом — чтобы окончательно сбросить напряжение рабочего дня.

Но только заснуть Михаил не смог все равно.

Шепнул Настеньке в ушко:

— Пойду поработаю.

Она преданно взглянула в глаза:

— Мишенька, ты неисправим. Пожалуйста, береги себя.

И снова ему показалось: теплые слова — для Настены просто роль. Прекрасно отрепетированная, но безумно надоевшая.

Он прошел в кабинет, включил компьютер.

Севка, бедняга, извелся: ждет от него не проходную компьютерную игрушку, но *забаву века*. Сейчас Михаилу вдруг показалось: идея мелькнула. Но пока дошел до кабинета — свежая мысль юркнула, словно мышь в нору. Надо бы собрать в кулак волю, мозг, сжать зубы, сосредоточиться...

Однако вместо того, чтобы открыть файл с рабочими заметками, он залез в поисковик. Какой написать запрос? Бабуля на рынке сказала, сиротский приют расположен где-то неподалеку.

«Детский дом, район Рублевского шоссе», — написал Михаил.

Полных совпадений не оказалось. Правда что, само словосочетание несуразное: слишком дорогая в округе земля, чтоб отдавать ее под богадельные заведения.

Впрочем, кое-что компьютер нашел: закрытую школу для особо одаренных детей и пару лингвистических лицеев. Имелись и фотографии: высокие заборы, ядовито-зеленые газоны, ухоженные детишки в школьной форме от «Burberry». Когда-нибудь и их с Настей ребенок тоже окажется в этой успешной, румяной, самоуверенной толпе. И, может, даже будет на уроке труда (или как он там нынче называется) плести корзиночки. Аккуратненькие, не кособокие, чтобы мама с гордостью украсила интерьер. В стиле прованс.

Михаил вздохнул, закрыл поисковик. Вяло, без огонька, поработал над программой. Крепко, но на «игрушку века» никак не тянуло. Можно смело жать на «delete».

«И вообще всю мою жизнь — удалить к черту!» — мелькнула мрачная мысль утром, когда Настя — сонная, равнодушная и причесанная — подала ему яичницу и кофе.

...Севка сегодня ждал его в офисе, но Михаил повернул от дома — не к Москве, а обратно, в сторону рыночка.

Он сам не понимал, что творит, и оттого страшно злился.

Почему он хочет снова увидеть эту нескладную простушку в платочке? Да и не будет ее на рынке очень ранним, морозным утром. Даже молочницы и те приезжают не раньше восьми.

...Но курносенькая уже раскладывала свои уродливые изделия по прилавку.

Здороваться Михаил не стал. Хмуро бросил:

— Где находится детский дом? Адрес, номер? И ты там кто?

— Д... деревня Свиноедово, — пробормотала она. — Улица Ленина, дом один. Детский дом номер шестнадцать для детей-сирот и детей с отклонениями в развитии. А я... педагог-воспитатель.

— Смета есть?

— Чего? — растерялась девушка.

— Ну, сколько вам денег нужно — на подарки?

— Да ребятки любой мелочи будут рады, — вздохнула она.

Посмотрела на него почему-то с укором. И вдруг выпалила:

— Вот я не понимаю, как такое бывает? Барвиха, Жуковка — совсем рядом. «Мерседесы» кругом. А у нас нянечка восемьсот рублей получает, со всеми надбавками. И ребенку в день на питание выделяют пятнадцать рубликов[1]. Целую сосиску на ужин не дашь — пополам делим.

Он цепко на нее взглянул, спросил жестко:

— Ты тоже голодаешь?

Девушка глянула с вызовом:

— Когда-то голодала. Я сама детдомовская. И с головой проблемы были. Потому и тянусь к своим.

— И что у тебя с головой? — внимательно взглянул Михаил.

Она, похоже, хотела еще больше ощетиниться, явно подбирала новую колкость. Но вдруг пробормотала почти виновато:

— Ну, не то что прямо совсем проблемы. В шесть лет диагноз поставили: задержка психического развития. Если бы в ПНИ запихнули, тогда все, полный пипец.

— Куда запихнули?!

— Психоневрологический интернат, жуткое место. Оттуда уже не выходят, — вздохнула она. — Но мне повезло. Добрые люди не испугались диагноза. Взяли под опеку, к себе в семью. Хотели, что-

[1] Цены 2003 года.

бы я нормальной жизнью жила. Я и жила — пока школу не закончила. Но потом выросла, — подмигнула ему, — и обратно в родную среду. В смысле, работать в детдом пошла. Хотя мама с папой меня уговаривали, чтоб я на младшие классы или на иностранный язык поступала, а не на дефектологию.

Нос картошечкой, глаза раскосые, фигура угловатая. Но приодеть-причесать — получилась бы неплохая дивчина. Не из стандартных красоток, но с изюминкой.

Михаил усмехнулся:

— А как тебя в институт взяли — с задержкой психического развития?

Настя бы укорила: «Воспитанные люди таких вопросов не задают». Но Томский все эти светские экивоки ненавидел.

Впрочем, девчонка и не обиделась. Улыбнулась солнечно:

— А моя болезнь прошла. В смысле, сняли диагноз. Через год, как я в семью попала. В дураки записывают легко. Приходит в детдом комиссия. Три строгие тети. Перед ними я, шестилетняя. Стою перед столом, дрожу от страха. Они мне вопрос: какие цвета у радуги? Но откуда я знаю? Нас никогда в дождь гулять не выпускали. А на картинке внимательно рассмотреть — в голову не приходило. Начала выдумывать: синий, черный, сиреневый... Вот и готово — дурочка. Это потом мне мама и стихи читала, и раскраски покупала. И учила желание загадывать, когда радуга.

Добавила задумчиво:

— Но все равно я очень долго к нормальной жизни привыкала. Только представь: в девять лет впервые увидела холодильник, микроволновку, машину стиральную! В десять мама меня на море вывезла, а я в слезы. Она меня купаться ведет, а я боюсь, что сейчас топить будет. Как старшие девчонки делали — совали головой под кран с водой и вдохнуть не давали. Мама даже обиделась тогда, но я ничего с собой поделать не могла. Глубины боялась, плескалась на мелководье. И до сих пор море обожаю безумно, но далеко не заплываю.

Усмехнулась вымученно:

— Мне потом в институте объяснили: травмы из детства ничем не вылечишь.

А Михаилу вдруг вспомнилось: ему четырнадцать. Все парни в классе обязательно умеют делать что-то полезное. Драться, смешить девчонок, хохмить над учителями, завывать рэп. И только он один не способен ни на что. Лишь подает надежды. Да в чем?! В бесполезной, скучной, никому не нужной физике.

— Я привезу твоим детям подарки, — твердо произнес Михаил.

— Вы врете, — бесхитростно отозвалась девчушка. И немедленно смутилась, забормотала: — Ой, я не хотела вас обижать, извините.

Раскраснелась, нос почему-то побелел, губу прикусила. Никакого сравнения с Настиной ослепительной, хорошо поставленной улыбкой.

«Зато уж эта на мои деньги бизнес-классом за

границу не полетит», — усмехнулся про себя Михаил. И спросил:

— Как тебя звать?

— Нина Васильевна, — серьезно отозвалась она. Смутилась, улыбнулась, добавила: — А прозвище — Кнопка. Дети придумали. Потому что нос курносый и я на него давить разрешаю. А чего? Пусть давят. Мне не жаль.

— И мне можно? — Томский ожег ее взглядом.

Дивчина не растерялась:

— Подарки привезете — и хоть сто раз!

* * *

Михаил сначала думал: нанять «газель» да и отправить ее в детдом. Зачем ему нужно тратить собственное время, дежурно улыбаться, когда в благодарностях рассыпаться начнут?

Но подметил, какими глазами шофер грузовичка смотрел на три десятка детских велосипедов из хорошего спортивного магазина, и решил отвезти подарки сам. Заодно и Кнопку (прозвище смешной детдомовке очень подходило) повидает.

Позвонил, предупредил:

— Приеду сегодня. Пусть бухгалтерия бумаги готовит. Потом лично проверю, чтобы все на балансе оказалось. И директора предупреди: я по детдому пройду. Сам посмотрю, что вам еще надо.

— Ой, Мишенька... — растроганно пробормотала Кнопка. И добавила с удивлением: — И правда не наврал!

Когда Насте что-то от него было надо, она тоже звала его уменьшительным именем. (Чем дороже хотела подарок, тем ласковее прозвища придумывала.) Но сроду не удавалось ей вложить в простенького *Мишеньку* столько восторга. А ведь он лично Кнопке не вез ничего. Остановиться, купить хотя бы цветов? Совсем глупо.

Впрочем, весь его сегодняшний день — сплошное недоразумение. Вместо того чтобы работать над новой игрушкой, сбежал из офиса. Отправился в магазин, вдумчиво, будто себе, выбирал велосипеды. И платил с личной карточки. Хотя Сева сто раз ему говорил, что благотворительность надо со счета фирмы проводить. И обязательно под это дело пресс-конференцию, журналистов подогнать — чтобы не просто деньги спускать, а формировать попутно благоприятный имидж.

«Ладно, — усмешливо подумал Михаил. — Будем считать капризом гения».

...Кнопка — с посиневшим носиком — встретила машины у съезда с шоссе, отчаянно замахала руками. Впрыгнула в его «Линкольн» — Томского сразу волной холода накрыло.

— Ты чего такая замерзшая? — удивился Михаил.

— Ч-ч-час тут стою.

— Зачем?!

— А в-в-вдруг бы в-в-вы поворот пропустили?

— Слушай, ты всегда такая гиперответственная?

Кнопка дерзко взглянула ему в глаза:

— Не-а. Только с вами. Стараюсь зацепить вас покрепче.

— Чего?!

— Да с мужиками у нас беда, — вздохнула она. — Воспитатели все женщины, и волонтеры тоже, один физрук мужчина был, и тот уволился. А только у меня в классе — десять мальчишек. С кого им пример брать? Вчера велела игрушку разобрать отверткой. И поменять батарейки. Смешно сказать: почти час возились!

— Ты хочешь предложить мне вакансию? — усмехнулся он.

— Не издевайтесь, — вздохнула девушка. — Зарплата у трудовика — пять шестьсот, а нагрузка — тридцать часов в неделю.

Взглянула строго и добавила:

— Да и деньги вам не нужны. Поэтому будете волонтером.

— Это приказ?

— Ну, вы сказали! Как я могу вам приказывать? Но попросить хотела. У нас на сегодня поход запланирован. Пожалуйста! Пойдемте с нами!

— Как ты сказала?

— Ну, подумаешь, маленькая прогулочка по лесу! Зато знаете, как это для моих мальчишек важно?! Ни с какими дорогими подарками не сравнится.

Час от часу не легче!

И почему он не может просто ее послать? Нет, зачем-то начал оправдываться, бормотать:

— Минус восемнадцать. А у меня ботинки офисные.

— Да ну, ерунда! Я бушлат дам, валенки! И делать вам ничего не надо будет. В лесу ориентироваться, дрова собрать, костер развести — я все это и сама умею. Вы только идите впереди, вожаком, и не нойте. Ну, и не напивайтесь.

Михаил расхохотался:

— Кнопочка моя милая! Мне на работу надо.

— Да ладно, я ведь вижу: вы сам себе хозяин. Ну, что вы такой аморфный?! Решайтесь скорее! Совершите необычный, смелый, очень мужской поступок! Грузовики-то с подарками мы уже видели, спонсоры иногда наезжают. А вот в поход с нами никто еще не ходил!

* * *

Сколько раз за время этой странной прогулки он проклял собственный мягкосердечный характер? Раз десять, не меньше.

Может, детдомовцы и мечтали — о *вожаке стаи,* мужчине, но *столичного пижона* восприняли в штыки. На Михаила едва взглянули, а на Кнопку налетели с претензиями:

— Нин Васильевна, что вы за тело нашли? С нами в поход?! Да он сдохнет через километр, на себе тащить будем!

И ржут.

Ответить бы остроумно, громко, но держать аудиторию Михаил не умел, вместо него всегда говорил Сева. А сейчас его крошечная Кнопка защищала.

Возглавлять колонну оказалось тяжело. Тропинка усыпана снегом, ноги, с непривычки к прогулкам, сразу заныли, глаза, несмотря на изрядный мороз, заливал пот, дыхание то и дело сбивалось. Зато мальчишки малость оттаяли, снисходительно покрикивали:

— Давай-давай, буржуй! Не тормози, шевели копытцами!

Поход организован был бестолково (да и чего другого ждать от детдомовских пацанов и от женщины?). До лесного озера — куда собирались попасть изначально и где якобы имелись избушка и сухие дрова — не дошли, начало быстро темнеть. Привал устроили на полдороге, костер разжигали минимум полчаса, термос с горячим чаем оказался единственным на всю компанию, вода в бутылках замерзла, и котелка, чтобы ее растопить, не имелось.

Кнопка изо всех сил старалась руководить и направлять, Михаил, по мере сил, помогал. Но все без исключения парни промочили ноги, один вообще провалился в болото, другой налетел лицом на сучок и едва не выколол себе глаз, третий беспрестанно хныкал, шли медленно, разбредались. Даже у невозмутимой Кнопки звенели в голосе истерические нотки, а у Михаила руки то и дело сжимались в кулаки. Самый вредный, огненно-рыжий детдомовец по имени Тимофей, это заметил, всю обратную дорогу подначивал Михаила:

— Чего смотришь? Лучше ударь! Сразу полегчает!

— Можно я ему, правда, врежу? — тихонько спросил Томский у Нины Васильевны.

Ожидал, что возмутится: «Как ты можешь?»

Однако Кнопка пожала плечами:

— Можно и врезать. Они иначе не понимают.

А потом беспомощно улыбнулась:

— Сама часто не знаю, как с ними себя вести... Я по темпераменту интроверт, мне с детьми работать тяжело.

— А зачем тогда мучаешься? — удивился Михаил.

— Ну, я пыталась вам объяснить, — вздохнула она. — Вроде как око за око. Мне сделали добро, вытащили отсюда — и я тоже хочу помочь. Только без толку это. Все равно мальчишки — пока живут в казенном доме — будут всех ненавидеть. И вас, и меня. Как бы мы ни старались! Вот если бы усыновить кого-то из них... Хотя бы Тимку этого колючего. Но кто мне разрешит?

— Глупая ты. И... и замечательная, — вдруг вырвалось у него.

Она взглянула ему в глаза, виновато произнесла:

— А вы из-за меня, по-моему, нос отморозили. Можно я вам его снегом потру?

— Эх ты, походница, — упрекнул он. — Не знаешь, что ли? От снега только хуже будет. Ничего, сам оттает. Мы уже почти пришли.

Стояли синие морозные сумерки. Впереди несколькими неприветливыми окошками встречало их бревенчатое строение, для которого совсем не подходило слово *дом*.

Михаил ужасно замерз, болели теперь не только ноги — еще спина, шея и горло. Мальчишки попрощались с ним сквозь зубы. И за роскошные велосипеды никто даже спасибо не сказал.

Только Кнопкины глаза восторженно сияли. Но все равно это была очень слабая компенсация за испорченный день.

Однако ночью, когда Настенька безмятежно спала, а Михаил чуть не шипел от боли и попеременно пил аспирин, колдрекс и коньяк, его наконец-то осенила *идея*. Идея компьютерной игры, над которой он думал подспудно не менее пяти лет. И активно размышлял последние полгода.

Никаких лабиринтов, иных планет — просто зимний лес. И игроки — не роботы, обычные люди. Все начинается как обычный поход. А потом...

Сначала его затряс озноб, потом бросило в жар. В обмороженных пальцах противно кололо, майка со свитером пропотели насквозь, в висках стучало. Но он все колотил и колотил по клавиатуре. В котел, в кашу, все вместе — сказки, архетипы, страхи, фантазии. Кощей, двенадцать месяцев, оборотни, вампиры, беглые зэки, полицейские засады, гоголевская панночка, Франкенштейн...

Любой человек в здравом уме схватится за голову. Но когда ты играешь, логика отключается. «Засосет, засосет оно вас. Как болото», — бормотал Михаил.

В девять утра в кабинет заглянула Настенька. Спросила хриплым спросонья голоском:

— Мишаня? Ты что, совсем не спал? Разве можно так себя не беречь?!

Он глупо улыбнулся в ответ. И подумал: как жаль, что компьютерные игрушки нельзя никому посвящать. А то написал бы где-нибудь в главном меню, как авторы книг делают: «*Несравненной Кнопке*».

— И что, вообще, происходит? — чуть возвысила голос Настенька. — Вчера тебя целый день не было в офисе, телефон не отвечал, Сева обыскался, я тоже беспокоилась.

Укоряет мягко, ласково. Боится обидеть? Или ей просто наплевать? На то, где он был, что чувствовал, о чем думал?

Он всмотрелся в Настино безукоризненное, холодное, с идеальными пропорциями лицо.

И отчетливо, ярко понял: жить с этой красавицей он больше не станет.

* * *

Расставание с Настеной вышло тяжелым. Отвергнутая спутница жизни не устраивала истерик, не била посуду, не давала ему пощечин и даже не угрожала. Просто села напротив, будто они в покер играют. Лицо бесстрастное — то ли пара двоек на руках, то ли каре с тузами. И произнесла:

— Миша, ты, к счастью, физик, не лирик. Значит, сможешь мне объяснить — логически! — чем я тебя не устраиваю?

— Настенька, — залепетал он, — да ты самая замечательная в мире! А кто я? Не красавец, не богач...

— Чушь, — перебила она. — Красивым мужчина быть и не должен. А богачом — настоящим! — ты станешь. Очень скоро.

Вот интуиция!

Или Севка ей проболтался?

Компьютерная игра «Ночной лес» появилась на рынке месяц назад и сразу начала творить чудеса. Ее дружно ругали. Пародировали, высмеивали, запрещали детям. Но кривая продаж безудержно рвалась вверх. И уже больше десяти стран обратились в их фирму за лицензиями. А сейчас Сева и вовсе носился с предложением от китайцев: продать игрушку на корню, с персонажами и правом на продолжение, за безумную сумму в пять миллионов долларов.

Идея избавиться от игры навсегда и спокойно жить на дивиденды нравилась Михаилу чрезвычайно. Вряд ли только Настена смирится. С тем, что будет лишь пять миллионов долларов — минус комиссия Севке. А дальше — только скромная зарплата физика.

Зато Кнопка, чувствовал программист, его бы поняла.

Но об этом говорить он с Настей не стал. Лепетал виновато:

— Я ведь вижу: тебе нужен совсем другой человек. Не бирюк, не сыч, как я. Светский. Будете вместе ходить по вечеринкам, приемам. В спортивный клуб запишетесь.

— Но я сама лучше знаю, чего мне нужно, разве не так? — упорствовала она. И потребовала: — Объясни, что я делаю неправильно? Плохо готовлю? Невнимательна к тебе? Со мной не о чем поговорить?

Михаил начал закипать:

— Да все ты замечательно делаешь! Идеально.

Совершенно. Настолько совершенно, что просто тошнит!

— Ты предлагаешь мне ходить дома в грязном халате? Или накручивать волосы на бигуди? — В ее глазах блеснули искорки. — Отличная будет картина. Ты в своих омерзительных трениках — и я, тебе под стать. Боже, что за мерзость! Но если тебе это нужно — ничего. Я подстроюсь.

— Что ж, Настя. Вот ты сама все и объяснила. Ты действительно умеешь подстраиваться и играть любые роли. Но любовь-то сыграть невозможно.

— Ага, — склонила голову она. — Когда мужчины так говорят, все сразу становится ясно. На сцену явилась *другая*. Могу я узнать, кто она? Чем знаменита?

Попробовать объяснить Насте — про носик кнопочкой, нескладную жизнь и беспомощное, доброе сердце? Но все равно ведь не поймет.

И Михаил перешел к практическим вопросам:

— Аренда дома оплачена до конца года. Можешь тут жить. Свою машину тоже оставь себе.

— А бриллианты сдавать? — зло сощурилась она. — Шубы? Колготок я недавно купила десять пар, дорогих. Еще не распечатывала. Могу вернуть. Подаришь своей... или ей мой размер мал?

— Настюша, — вздохнул Михаил. — Тебе не идет сарказм.

И тут Настюша наконец разревелась. Какой там покер — бросилась ему на шею, взвыла, будто деревенская баба:

— Мишенька, ну пожалуйста! Не бросай меня! Не бросаааай! Что я без тебя делать буду?!

Вот тебе и самая красивая в мире женщина.

«Да чего ты в меня вцепилась?!» — зло думал он.

В ответ не обнимал. Стоял, словно чурбан. Молчал. Ждал, покуда закончится второй акт.

И он завершился — слезы у Насти высохли. Отступила от него на шаг, гордо задрала подбородок:

— Ладно, компьютерный гений. Все я поняла. Будь счастлив. Но я о себе еще напомню. В самый неподходящий момент. Как граф Монте-Кристо. Так отомщу — мало не покажется.

— Господи, да что я тебе сделал? Предал? Ограбил?

— Ты меня бросил. А женщины этого не прощают! — отрезала она.

Гордо обернулась, на пороге комнаты притормозила, саркастически поклонилась:

— Благодетель! Машинку бэ-у он мне подарил. На убогой дачке позволяет пожить!

(Это про дом на Рублевке площадью триста квадратов, аренда которого Томскому обошлась в деньги заоблачные.)

Сузила глаза и припечатала:

— Чтоб сегодня же — духу твоего здесь не было!

* * *

Наши дни
Болгария

Два дня Лариса кружила вокруг лэптопа. Даже ночью просыпалась, проверяла входящие.

Но компьютер исправно присылал спам, а единственного письма, что могло бы изменить все, так и не было.

Видимо, ее отчаянный посыл до адресата просто не дошел. Не читает ведь *глыба,* президент, Бог все письмишки, что приходят в адрес его фирмы. Надо бы принять сей факт — и успокоиться.

Однако, когда тебя только что предал муж, все воспринимается болезненнее, острее. Странно.

Лариса себя уверила: *он* читает ее письма. Но не отвечает — намеренно. Просто плюет на нее. Игнорирует.

И от очередного небрежения сначала стало очень обидно. А потом она разозлилась.

По-хорошему мужики не понимают.

Значит, будем с ними по-плохому.

В полдень Лариса заказала в номер огромную пиццу и бутылку воды, чтобы больше не выходить, не тратить время на рестораны и магазины.

Закрыла глаза, помассировала веки — она всегда таким образом призывала вдохновение перед началом серьезной работы.

Женщина еще никогда не писала программы-взломщики, но все в жизни бывает в первый раз. Говорят ведь: после сорока жизнь только начинается!

* * *

Юна

Глупо быть неисправимой оптимисткой, но я — такая. Пока дом мне показывал крабов на ночном пляже, подогревал кресло и заваривал чай, я с удовольствием верила, что он обо мне заботится.

Но и сейчас, после последних событий, я никак

не могла поверить, что особняк-корабль мне мстит. И не могла заставить себя его бояться.

Лучше принять версию Манола. Здесь слишком много электроники. А я в компьютерах ноль, да еще и рассеянная. Вот и получаю проблемы.

К тому же практический момент: деваться мне все равно некуда. Квартира в Москве разгромлена. Жить у Максима я не хочу.

А вариант — остаться в Болгарии, но перебраться куда-нибудь в пансионат — категорически отвергала моя дочь.

— Мам, у нас самый лучший, самый удивительный в мире дом! Никуда отсюда не поеду, — категорически заявила она.

Наверно, я могла бы уговорить Маришку.

Если бы не Митя.

Мальчишка каждый день приходил нас проведывать. Вел себя идеально. Со мной — галантный, с Маришкой — заботливый. Водил дочку на пляж, вместе плавали в бассейне, гуляли по саду, болтали в шезлонгах, лазили на спортплощадке. А любимым занятием у обоих стало раздавать дому приказы: «Лед!», «Сок!», «Музыка!»

Я нервничала. Полагала, что заводить кавалера в восемь лет — это очень рано.

Но Елена — она тоже часто приходила к нам в гости — смеялась над моими страхами:

— Юна, о чем вы, какой кавалер? Митя поглядывает на четырнадцати-пятнадцатилетних. А Маришка ему как младшая сестренка. Он всегда у меня просил, и я бы рада родить... да куда — двух детей без отца?

Елена, как и я, была не замужем.

Но, в отличие от меня, на богатого любовника не полагалась.

— Немного сложно полностью на себе все тащить, зато — свобода!

И не скупилась, щедро делилась со мной своими, как говорила, «наработками».

Однажды, когда мы ужинали в любимой всеми «Боруне», к ней подошел поздороваться обаятельный молодой болгарин.

С виду беспечный, загорелый, но летний костюм — явно не дешев и глаза усталые, цепкие.

— Георгий, наш мэр, — познакомила нас Елена.

А когда увидела, каким взглядом я провожаю симпатягу, мимолетно бросила:

— Не женат. И прекрасно играет в теннис. Можем сыграть микс.

— Ой, да о чем ты? — отмахнулась я. — Из меня такой игрок...

Но против воли представила мускулистого болгарина в майке и шортах, он сильно, уверенно подает, я страхую у сетки, перехватываю после приема мяч, противники теряются, а я — красиво забиваю им с лета. Юбка развевается, пахнет морем и мужским телом.

Я, конечно, захватила с собой в Болгарию ракетку и форму.

Максим не возражал, когда я занималась со стар采еньким тренером или перекидывалась мячиком с приятельницами. Но играть микс с мужчиной?

Нет, я никогда не решусь.

* * *

Лариса просидела за компьютером девятнадцать часов кряду, и к семи утра ей стало казаться: она нащупала брешь. Любой гений бессилен против ярости обманутой женщины.

«Еще день — и бастион рухнет».

Но в данный момент больше работать она не могла.

Понимала: при всей ее ненависти к прогулкам вдоль моря нужно пройтись, развеяться. А то будто туман окутал. В глазах щиплет, в голове шумит. Плюс ощущение чрезвычайно неприятное: будто за ней наблюдают. *Не сводят глаз*.

Она выглянула в окно, приоткрыла дверь в коридор, заглянула в ванную. Что за паранойя? Никому, конечно, нет никакого дела до немолодой и некрасивой российской туристки.

«Может, это *он* смотрит на меня? Через мой же компьютер?!»

Лариса инстинктивно захлопнула крышку лэптопа. Выдернула вилку из сети.

Успокойся, истеричка! Ты просто устала. Тебе нужно какао из автомата. Прогулка. И спать. Чтоб сегодняшней ночью Сезам открылся.

Лариса сменила пропотевшую футболку и выползла на божий свет. Вдруг вспомнилось: ей двадцать два, пятый курс, они всю ночь колобродили в общаге и, пьяненькие, веселые вышли встречать новый день. Кто тогда держал ее за руку? Точно не Макс. У них в институте много было бесшабашных, остроумных разгильдяев. Но она все искала надежное плечо, крепкий тыл. Чтоб семью обеспечивал.

И вот итог.

Утреннее небо по-прежнему прекрасно. Только она уже не молода, не красива. И одна. Одна — против всех.

Лариса быстро шла по набережной. Городок только просыпался. Мусорщики грохотали баками. Сонные подростки терзали кофейный автомат. Молодящиеся дамы в кроссовках и наушниках делали вид, что им радостно бежать вдоль кромки моря.

В Агатополисе народ помешан на спорте. Повсюду бесплатные тренажеры, футбольное поле, волейбольные площадки. На теннисном корте даже сейчас, в несусветную рань, четыре чудака гоняются за одним крошечным мячиком.

Ларису чужая спортивная активность раздражала до чрезвычайности. Хотела отвернуться, но вдруг заметила: светлый хвост, зеленые глаза, до безобразия стройные ноги. Мать честная! Юна!

Выиграла мяч. Партнер покровительственно треплет ее по плечику. Мерзавка мимолетно прижимается к нему, улыбается радостно.

Ах ты змея!

Лариса даже не сразу поняла, радоваться ей или злиться.

Но пришла в себя быстро. Достала айфон. Укрылась за потрепанным кипарисиком.

Парочка Юна плюс красавец выигрывали мяч за мячом и каждый раз обнимались. Поэтому у Лары получилось немало просто чудесных фотографий. Она немедленно их отослала — на электронный адрес Максима.

И поспешила обратно, в гостиницу, в логово. В глазах уже не щипало, мигрень сама собою прошла. Можно, наверно, не спать, а продолжить работу прямо сейчас.

* * *

Двенадцать лет назад

Стоило Томскому поселиться вместе с Кнопкой — и вся размеренная, разграфленная, идеально организованная жизнь пошла прахом. Какой там домашний уют, какие обеды или молоко с медом на посеребренном подносе?!

Будними днями Нина Васильевна пропадала на работе. Но и в выходные домашним хозяйством особо не увлекалась.

В субботу с утра, например, загорится: «Борщ к обеду сварю!»

Лезет в Интернет — выбирать самый лучший рецепт. И — зависает во Всемирной паутине до вечера.

Даже Томский (сам частенько забывающий поесть) проголодается, выйдет из кабинета:

— Эй, Кнопка! А где твой борщ?

Нина Васильевна в ужасе вскидывается: «Как? Уже шесть часов?!» Ахает, кается, мчится в магазин за сосисками.

И за собой, в отличие от рафинированной Насти, Кнопка особо не следила. Обожала (как и сам Михаил) широченные, мягкие треники. Красилась редко, волосы феном сушила по особым случаям, обычно просто заматывала голову полотенцем да и заваливалась спать.

И вообще она многое делала неправильно, нескладно. Не так, как учат девушек глянцевые журналы. Никогда не спрашивала его: «Как прошел твой день?» Не повторяла, словно мантру: «Какой ты умный!» И много болтала сама — о вещах, Томскому решительно неинтересных. Про своих детдомовцев, дурынду директора, ворюгу повара. Но он *к словам* и не прислушивался. Зато думалось под ее неразборчивый, писклявый ручей-голосок очень продуктивно.

До работы ей теперь было добираться полтора часа в один конец, но бросить свой сиротский приют девушка упорно отказывалась.

— Дома целый день сидеть, деньги с твоей карточки тратить?! Ни за что не буду, даже не проси!

— Ну, учиться иди. Хотя бы на английский — всегда пригодится, — пытался подсказать Томский.

— Да ну, Миш, не хочу. Я институт-то еле осилила, каждый день мечтала: вот защищу диплом, и все, больше никогда. Я, конечно, официально дурочкой не считаюсь... но мозгов у меня негусто. Сам, что ли, не видишь?

— А спортивный клуб? Автошкола? Кулинарные курсы? — проявлял фантазию он.

— Миш, Миш, ну пожалуйста! — взглядывала исподлобья, в глазах чуть не слезы. — Тебе что, стыдно? Из-за того, что я в детдоме работаю?!

— Да трудись ты хоть в морге, — хмыкнул он.

Жаль ему, что ли, дать смешной Нине Васильевне полную волю?

И каждый день, чем ближе к концу рабочего дня, тем чаще расплывался в улыбке. Потому что скоро домой, и там его ждет Кнопка, и наверняка она опять накуролесила. Пришла с работы пораньше, чтобы приготовить ему что-нибудь вкусненькое. Испортила, выбросила, пытается теперь отчистить пригоревшую кастрюлю и рыдает. Или вовсе забыла об ужине и болтает по скайпу с приемной мамой. Или мальчишек из своего разлюбезного детдома в гости пригласила, а те, пока гостеприимная хозяйка хлопотала на кухне, выдули на балконе все его пиво. И бедная Кнопка теперь страшно переживает. А что творилось, когда она волосы решила подкрасить — сама, дома! Встретила его в слезах, в платочке, умоляет: «Ты только на меня не смотри!» Но он, конечно, не удержался, заглянул под покров и расхохотался гомерически: ярко-ярко красный. Чудо, а не девчонка!

...Сева выбор Михаила решительно не одобрял:

— Извращенец ты, Томский! С райской птицей жил — зачем-то выгнал. Завел себе воробьишку.

Программист в ответ огрызался:

— Мое дело.

А Сева поднимал назидательно палец:

— За твоей психикой ранимой — постоянный пригляд нужен. И Настя с этим прекрасно справлялась. А детдомовка твоя — сама сумасшедшая. Что бывает, когда сходятся вместе два фрика? Правильно. Дурдом.

Михаил от мрачных пророчеств отмахивался.

Хотя понимал: Сева прав. Они с Ниной, действительно, если не психи, то *чудики*. Оба.

Да еще и ни хобби общего, ни интересов.

Но однажды он спросил:

— Кнопка, у тебя есть мечта?

— Есть, — серьезным тоном ответила девушка.

— И какая?

— Свой дом.

— О, хоть что-то! — обрадовался он. — Я тоже об этом думал.

А девушка погрустнела:

— Ты в таком жить не станешь. Я хочу обязательно в глуши. В полной. Чтобы никаких людей — на сто километров. А кругом — красиво-красиво. Будто я умерла и это рай: деревья, птицы, горы, море, высокие облака...

— Туалет на улице, вода в колодце. — Михаил слегка сбил ее пафос.

— Ну и что? — не смутилась Кнопка.

— А продукты как добывать? Разведешь коз, станешь копать картошку?

— Ой, нет. Я сельское хозяйство не люблю.

— Кнопка, — усмехнулся он. — Иногда мне кажется, что тебе лет десять, не больше. Ладно. Допустим, продукты тебе на вертолете будут доставлять. Но как ты время станешь коротать в своей глуши? Без телевизора, без людей?

— Придумывать буду, — ни секунды не колебалась девушка.

— В смысле? Ты роман, что ли, пишешь?!

— Нет, ну, что ты! — смущенно улыбнулась она. — Я придумываю всякие бесполезные глупости.

— Это как?

— Ну... например, у моей мамы приемной всегда пироги подгорали. Что она только ни делала — и воду в духовку ставила, и огонь дополнительным противнем закрывала. Но они все равно горят. Я тогда для нее придумала прибор специальный. Очень простенький. Гибрид таймера, термометра и пожарной сигнализации. Он определял готовность пирога и сам выключал духовку. Маме очень понравилось.

— Ничего себе! — Томский смотрел на нее во все глаза. — Ты, оказывается, изобретательница! А патент получила?

— Мне предлагали, — смутилась она. — Да лень стало бумаги оформлять.

— И много ты таких штучек напридумывала?

— Да нет, что ты. Две, может, три мелочи. Я потом на работу устроилась — и стало не до того. Но если жить в глуши, никто не дергает — ух, я бы развернулась! Глупо, да?

— Почему глупо? Нормально, — улыбнулся Михаил. — А я хочу, чтобы в моем доме все электричество было от солнечных батарей.

— Идея хорошая, — хихикнула Кнопка. — Но только солнце ярче всего светит летом в полдень. А людям тепло и свет нужны вечером и зимой. Неразрешимое противоречие. Особенно в нашем климате.

— А я его разрешил, — победно улыбнулся Томский. — И уже давно нарисовал чертеж, как построить *хранилище* для солнечной энергии. Будет в хорошие дни собираться, накапливаться и оставаться до нужных времен. Объем у агрегата — как большой чемодан, мощность — сорок киловатт.

Обычно (давно заметил) на слове «киловатт» любую девушку сразит зевок. Но Нина Васильевна отреагировала восторженно:

— Мы, получается, сможем полностью сэкономить на электричестве? Да сорока киловатт — и на отопление хватит!

Михаил довольно улыбнулся:

— Похоже, Кнопка, мы с тобой на одном языке говорим.

...Он тоже всегда хотел жить в собственном доме. Но, в отличие от фантазерки Нины Васильевны, не собирался уезжать далеко от цивилизации. Пусть город, люди будут рядом — километрах в десяти. Асфальтовой, разумеется, дороги.

Вместо абстрактной картины «как в раю» у него имелось очень конкретное желание: дом обязательно должен стоять на высоком обрыве. И чтобы кругом — куда ни кинь взгляд — только море.

А еще Михаилу мечталось, чтобы в его логове жил лишь он сам. И, возможно, жена. Но никаких экономок, садовников, горничных. Однако убирать или заставлять драить полы супругу он тоже не собирался. Есть решение куда изящнее: оборудовать свое убежище по только что появившейся технологии «умный дом». Пусть дорого — зато удобно.

...Однажды, когда еще жили с Настей, Михаил рассказал подруге о своей мечте. И та восторженно захлопала в ладоши: «Замечательная идея! Какой ты умный!» Однако после того разговора при каждом удобном случае подпускала шпильку, что жить отшельником — верный способ сбрендить, особенно для него, человека с неустойчивой психикой. И что настоящая жизнь может быть только в центре большого города.

А переубеждать красавицу Настю, Михаил знал, затея бессмысленная. Да и все равно на тот момент денег было только дачу снимать да изредка бриллианты спонсировать.

Однако сейчас, когда на подходе большие — по-настоящему большие! — деньги... да еще он, кажется, нашел единомышленницу...

— Кнопка, — задумчиво произнес Михаил, — мне твоя мечта нравится. Но скажи, что будет, когда у тебя родятся дети? Как ты их в школу думаешь возить, когда на сто километров вокруг никого?

— Ну... — смутилась Нина Васильевна. — Я так далеко не загадывала. Раз дети... можно что-нибудь другое придумать...

— Но в целом ты не против — жить в одном доме со мной?

— Ты еще спрашиваешь? — просияла она.

— Только я возьму тебя туда при одном условии. Ты должна изобрести для меня туалетный пюпитр.

— Что?

— Еще одна моя давняя мечта. Чтобы сидеть в туалете и журнал в руках не держать — он уже стоит на высокой подставке передо мной. И главное, страницы сам переворачивает. Голосовая команда или еще как-нибудь. Придумай сама.

— Миша...

Она взглянула на него жалобно, и слезы вдруг полились по ее лицу.

— Кнопка, ты что?! — всполошился он.

А девушка, всхлипывая, бросилась ему на шею, забормотала бессвязно:

— Миша, Мишенька! Неужели ты правда хочешь, чтобы мы вместе дом построили? И потом в нем жили?! Детей растили? Да такого быть просто не может! Я дурочка, детдомовка, а ты мне предлагаешь такое!!!

Он подхватил ее на руки.

И подумал: какое счастье, что с ним не красавица Настя, а эта нелепая, трогательная девчонка.

* * *

Михаил всегда считал детей бесполезными, шумными, чрезвычайно обременительными созданиями. Когда Настя говорила, что еще молода, хочет пожить для себя, охотно с ней соглашался. Надеялся, что вопрос с продолжением рода будет каждый год благополучно откладываться, пока не отпадет навсегда.

Но когда в его жизни появилась недотепа Кнопка, Михаил не то что задумался о наследниках. Но стал — гипотетически, игра ума, ничего больше! — прикидывать: какие бы у них вышли дети?

Мальчик, наверное, получится в него. Старательный, серьезный, талантливый. Возможно, странный, даже аутист. А девочка — он почему-то не сомневался — выйдет очаровательной глупышкой.

Станет таскать из школы «двойки» и виновато улыбаться.

Именно такую дочку ему и нужно.

Кнопка, правда, тоже утверждала, что рожать не собирается. Но мотивы у нее совсем другие были, нежели у рафинированной Настеньки. Нина Васильевна обожала завести свою лебединую песню: что в детдомах огромное количество отказников. И вся будущая жизнь малышей зависит от того, будут ли они расти в семье, на руках у мамы, или в казенных кроватках с деревянными заборчиками.

Михаил, безусловно, сочувствовал брошенным детям. Однако ребенка — простите за эгоизм — предпочитал своего. Кровного. И месяца через три после того, как стали жить вместе, решительно озвучил свою позицию:

— Усыновить без моего согласия ты все равно не сможешь. Поэтому давай договариваться. Сначала рожай мне двух своих, а дальше будем детдомовских брать. Сколько скажешь, хоть десяток.

— Куда мы их денем столько! — рассмеялась она.

— Ничего, — отозвался Томский. — Дом построим большой, места всем хватит.

Думал, обрадуется, что пришли к модному в те времена словечку «консенсус», но Кнопкины глаза погрустнели:

— А я сегодня на сайте отказников такую красотку видела, двух месяцев от роду. Абсолютно здорова, глазки грустные...

Но Михаил отрезал:

— Нет, милая. Хочешь дочку — рожай сама. От меня.

— Ладно, — покорно отозвалась она. — Как скажешь.

Но когда через месяц вручила ему тест с двумя полосками, лицо ее было абсолютно перепуганным.

Пролепетала:

— Миш, я думала, ошибка... Но это третий. Значит, точно: беременность.

Он чмокнул ее в нос:

— Молодец, заказ выполнила. Открываем шампанское — или ты теперь только морковный сок?

— Ты правда не сердишься? — недоверчиво спросила она.

— За что?

— За то, что вся жизнь твоя пойдет кувырком, — тяжело вздохнула она.

— Да ладно. Ну, будут временные трудности. Как у всех.

— Нет, Мишка, не как у всех, — пробормотала Кнопка. — Я сама несносная, а теперь еще ребенка на тебя повешу. Всеволод Семенович рассердится.

— Нин, ты с ума сошла? Кому какое дело до его мнения?

— Но твой друг прав, — вздохнула Кнопка. — Ты — необычный человек, у тебя очень важная работа. Тебя все должны беречь, пылинки с тебя сдувать. А тут вдруг младенец. И мамаша — полностью бесполезная.

— Кнопочка моя милая, да ты замечательной мамой будешь!

Но она опустила глаза:

— Ой, Мишка, я такая сволочь. Я тебя обманула... нет, даже хуже! Предала тебя. По полной программе.

— Что за ерунда? — растерялся он.

— Мне сразу надо было... Когда про детей заговорили... Сказать, что мне нельзя. И предохраняться как следует. А я... а я подумала: пусть Бог решает.

— Кнопка, что ты такое говоришь?!

— У меня порок сердца. Тяжелый. Рожать врачи запрещают. То есть можно, конечно, но шансы, что умру, — пятьдесят на пятьдесят. Я-то рискнуть готова, даже не сомневайся. Но что *ты* будешь делать, если один с малышом останешься?

Он долго молчал. Потом зло, отчаянно выдохнул:

— Ну, ты даешь.

— Да ладно, Миш, ты не волнуйся... я все поняла... Если ты считаешь, что я сглупила, я от него избавлюсь.

— Хороший подход! — вспылил он. — Сначала сделать то, что делать нельзя. А потом младенца убивать. Он здесь при чем?

— Миша, не говори так. Пожалуйста.

— А что мне тебе говорить? — заорал он. — Хорошо, скажу по-другому. Ты просто дура. Типичная баба-дура! Вместо того чтоб решать проблему, ждала, что само рассосется!

— Я тебе предлагала ее решить, — буркнула Кнопка, — малыша из детдома взять.

— Из детдома мне не нужен.

— Но...

— Ты бесплодная? Или носитель аномального гена?

— Да что ты такое говоришь?!

— Только то, что порок сердца — при современном развитии медицины — это вообще ерунда.

— Тогда почему ты злишься? — слегка повеселела она.

— Потому что беременность с твоей болезнью надо было не с бухты-барахты, а нормально планировать. Готовиться к ней. Заранее пройти курс лечения. Перед зачатием в какой-нибудь санаторий съездить. Тебе врачи об этом разве не говорили?

— Говорили, — опустила голову она. — Но я боялась тебе признаться. Вдруг ты бы тогда меня вообще выгнал? Зачем я тебе? Некрасивая, глупая. Да еще и больная.

— Хочешь, Кнопка, правду? — рубанул он. — Сам не знаю, зачем ты мне. Да и все кругом удивляются.

Крепко обнял ее, прижался носом к заплаканной щеке. Шепнул:

— Но уже не денешь тебя никуда. Ничего, выживешь. Мы все выживем. Все трое, не волнуйся.

* * *

Зря Кнопка боялась, Сева ругаться не стал. Наоборот, пожал Михаилу руку. Сказал:

— Большая семья — дело хорошее.

И немедленно скатился на мораль, добавил:

— Может, хоть теперь образумишься. Будешь компьютерные игрушки писать, а не формулы бесполезные. Подгузники нынче дорогие.

Акимов Кнопке и кардиолога нашел, и клинику, куда брали рожать сердечников.

Бедная Нина Васильевна вернулась оттуда подавленной:

— Миш, там пальмы кругом. И пол паркетный. А контракт на роды стоит... я тебе цифру даже не скажу. Где мы столько денег возьмем?

— Ха, Кнопка! — усмехнулся программист. — Плохо ты меня еще знаешь. Я как тот богатырь на печи. Когда все спокойно — лежу, ленюсь. Встаю, только когда совсем припрет. И чем больше денег нужно — тем лучше я работаю.

...Он почти без сожаления отложил докторскую по фундаментальной физике — и взялся за очередную компьютерную игрушку.

Расходы, действительно, предстояли немалые. Нужно и младенца — в человеческих условиях! — родить, и, если что, оплатить лечение Кнопке.

Съезжать со съемной квартиры, срочно свою покупать, обставлять. Хорошо бы, конечно, сразу в дом перебраться, но Томский понимал: построиться, да еще в условиях ограниченного бюджета, — это вопрос не года. И даже не трех. Тем более, если хочешь, чтобы каждая мелочь продумана и вообще все самое лучшее.

...Кнопка свою беременность отчаянно берегла. Много лежала, как велели врачи. Гуляла. Ела фрукты. И с работы ушла — потому что доктора позволяли только полставки, без нагрузок, а в детдоме разве такое возможно?

Михаил был рад, что любимая наконец бросила своих сироток-дегенератов.

Постоянное присутствие жены в квартире совсем его не раздражало. Хотя мог работать в офисе, часто оставался дома. Сидел в кабинете. Слышал, как Кнопка напевает. Улыбался, когда с кухни тянуло горелым. Звал Нину Васильевну в кабинет, спрашивал:

— Как думаешь, что хуже? Если женщина не любит готовить или если не умеет?

— Не знаю, — смущалась Нина Васильевна.

— Самое страшное — когда любит, но не умеет, — хохотал Томский.

Стискивал Кнопку в объятиях, начинал целовать, любовался ее милым простоватым личиком.

Нина Васильевна выглядела сейчас совсем не блестяще, и секс врачи им запретили — вплоть до родов, но Михаила все равно переполняла любовь. Спокойное, тихое, милое, ласковое, почти пенсионерское чувство. Хотелось не дикой страсти предаваться, а вить уютное, на лета, гнездо.

...Как только самые опасные первые три месяца миновали, он сам позвонил Кнопкиному врачу. Спросил:

— Ей летать сейчас можно?

Врач позволил. Кнопка обрадовалась, прыгала по квартире:

— Отпуск! У нас с тобой будет первый отпуск!

— Нет, моя дорогая Нина Васильевна, — возразил Томский. — Никаких отпусков. Мы с тобой летим по делу. Как ты и хотела, в глушь. Для нашего дома участок искать.

— Ой. — Она закрыла ладошкой рот. Посмотрела на него счастливыми глазами. Вдруг фыркнула: — А куда в глуши самолеты приземляются? На болото?

— Ну, мы с тобой сначала в Милан полетим, — слегка рисуясь, произнес он. — Сходим в оперу, купим для нашего младенца дизайнерские пинетки. А потом возьмем машину и поедем куда глаза глядят. Может, на севере нам понравится — на озере Комо. Не подойдет — поедем на Сицилию. Или в Испанию. Или на Кипр.

Не удержался, добавил:

— Я хоть и питаюсь с удовольствием твоими сосисками, но человек не бедный. Любое место в мире себе могу позволить. Может, только кроме Куршевеля или Лазурного Берега.

— Ох, опасные ты вещи говоришь, — улыбнулась она. Растопырила свои пальчики без маникюра. — Смотри, сейчас как разохочусь! Как вцеплюсь в твои богатства!

Но немедленно смутилась, объяснила:

— В смысле... я имела в виду, мне все время хочется — тому помочь, этому...

— Обязательно, Кнопка! Мы обязательно будем всем помогать, — заверил он. — Но сейчас давай немножечко поживем для себя.

И еле заставил съездить в хороший магазин, купить в дорогу удобные брюки на резинке, мокасины, комбинезон.

...В Европе бедная Кнопка ужасно стеснялась. Все время ей казалось, что говорит или делает она что-то нелепое. Да и языков бедняжка не знала – совсем, даже кофе себе не могла заказать. Ни на английском, ни тем более на итальянском. Михаил с разговорным инглишем тоже не дружил. Раньше, когда путешествовали с Настей, та всем заправляла, болтала с персоналом, делала заказы и решала проблемы. А с Кнопкой они постоянно влипали в смешные истории. То им пиццу приносили — сплошь красный перец. То карабинер останавливал их машину, пытался что-то втолковать, а они никак не понимали, за что их хотят оштрафовать.

Михаила происходящее веселило. А Ниночка страдала, хваталась за голову:

— Миш, как мы тут жить-то будем, если совсем их не понимаем?

— Брось! Язык учится за полгода.

— Мы будем говорить по-итальянски, но не начнем их понимать! — убежденно возражала Кнопка. — Тут все такое чужое...

— Ну, тогда давай возвращаться в Россию, — усмехнулся он. — Поедем к Агафье Лыковой, в ее таежный тупик. Там дом и построим.

— Миш, а у меня другая идея есть, — робко произнесла Нина. — Ты только сразу смеяться не начинай, ладно?

— В Африку зовешь?

— Нет. В Болгарию. Помнишь, я тебе рассказывала, как еще в детстве моря испугалась? Это там было.

Обняла его, взглянула просительно:

— Давай туда съездим, а?

— Ну, Нинок, ты меня разочаровала, — вздохнул Михаил. — Я тебя по изысканным краям вожу, а ты, оказывается, про Болгарию мечтаешь. Фу! Как примитивно!

— Зато здесь море глянцевое, ненастоящее, как на картинке. А там бурное. И язык понятный. «Яйца на очи» — яичница. «Плод зеленчук» — овощи-фрукты. И если у тебя на колготке дырка, никто не кривится.

— Я понял. Тянет тебя на колхоз, — печально подвел он итог.

Михаил был в Болгарии — в конце девяностых. Застал грустную картину. Унылые коробки санаториев, разбитые дороги и мрачные взгляды крепких парней в спортивных костюмах. В братской стране тогда тоже было время братков. Только называли их «бо́рцами» — когда-то все они занимались греко-римской борьбой, очень популярной при социализме.

Но если Кнопка хочет, ему нс жалко. И билеты в Болгарию он купил в тот же вечер.

...Весь первый день там Нина Васильевна не вылезала из моря. Даже трястись над своей беременностью временно перестала. Резвилась, визжала, кувыркалась, словно щенок. Построила песочный замок.

Михаил наблюдал за ней из тени кафе. Пил невкусное местное пиво, перелистывал журнал по недвижимости. Ничего интересного — на продажу предлагали сплошь жилье в *комплексах*. А в них, естественно, будет куча соседей, визжащие дети на горке и переполненные общие бассейны.

Когда Кнопка выбралась наконец из воды, он спросил:

— Ну что, моя королева? Что делаем дальше?

И она (хотя командовать совсем не умела) решительно произнесла:

— Едем в Царево. Ну, где мы тогда с мамой были...

— А что там хорошего?

— Тоже море, — улыбнулась она. — Порт. Ставрида очень вкусная.

Михаил включил навигатор: от Бургаса, куда они прилетели и где остановились в гостинице, всего пятьдесят километров. Ухмыльнулся:

— Какой-то каприз у тебя очень простенький.

— А у меня еще один будет, — пообещала Кнопка.

И назавтра, когда Михаил уже начал притормаживать перед съездом на Царево, попросила:

— Не сворачивай.

Он послушно прибавил газу, и машина немедленно ухнула в яму — дорога как-то сразу превратилась из плохонькой в совсем паршивую.

— Кнопка! — строго молвил он. — Куда ты хочешь меня завезти?!

— Как куда? — просияла она. — В город счастья, конечно!

Слева между тем виднелась унылая, заброшенная фабрика, справа — реденький лесок с выжженной травой.

— Минуточку, — Михаил напряг память, — по-моему, за Царево, почти сразу, граница с Турцией. И никаких больше городов.

— А я тебе говорю езжай, — упорствовала девушка. — Он очень маленький, его, может, и на карте нет. Называется Агатополис, в переводе с греческого — Город счастья.

...И поселение действительно нашлось — через двенадцать километров тряской дороги.

— Самое рыбацкое место во всей Болгарии, — просвещала Кнопка. — Лодка у каждого жителя есть, в самом центре — огромная пристань, и маяк старинный, очень красивый. Но мы все это потом посмотрим, ты пока дальше езжай.

И погнала его, теперь по грунтовке. Пыль столбом, убогий арендный «Фиат» жалобно завывает, навстречу цыган на лошади выехал — едва разминулись. Кнопка явно устала, глаза ввалились, но его еще и утешает:

— Сейчас, Мишенька, потерпи чуть-чуть. Где-то здесь должно быть... Вот, вот! Стой.

И он еще мотор не успел заглушить — выскочила из машины. Михаил поспешил за ней. А Кнопка уже со знанием дела — будто к себе домой приехала — шагала по тропинке сквозь реденький лесок, бормотала:

— Вот странно... Сколько лет прошло, а я все помню. И дорожку эту, и сосну кривую... — Обернулась к Михаилу, объяснила: — Мы здесь клад искали! Агатополис ведь город старинный, его пираты сто раз захватывали и сокровища могли зарыть запросто. У нас и карта была, с крестиком, все как положено. Мама только к концу каникул призналась, что сама ее нарисовала.

— А клад нашли? — хмыкнул Михаил.

— Конечно, — уверенно отозвалась Кнопка.

Сделала несколько шагов и остановилась:

— А вот место, где я хотела бы жить. Смотри.

Миша подошел, встал рядом. Осмотрелся.

Да, необычно.

Только что казалось: колючему лесу нет конца. И вдруг вместо деревьев — ровная, голая площадка. Заканчивалась обрывом. Дальше — море. Огромное и пенное вдали — и спокойное внизу, в маленькой бухточке. Трава выжжена. Соленый воздух. Тишина. Ни души.

— Чем тебе не полная глушь? — обернулась к нему Кнопка.

Михаил молчал. Ярко светило солнце, тарахтели цикады. Над обрывом тревожились, летали чайки.

— Что ты молчишь? Тебе не нравится? — встревоженно спросила она. И торопливо заговорила: — Не бойся, я совсем не настаиваю. Не хочешь тут покупать — не надо. Я просто тебе показать хотела, как здесь красиво. И докучать никто уж точно не будет.

А он пробормотал:

— Водопровода, конечно, нет. Про канализацию или газ я вообще молчу. Протянуть электричество встанет в целое состояние. И землю в собственность в Болгарии не оформишь, придется фирму открывать с директором местным. Это деньги, время. Плюс и кинуть могут.

— Я понимаю. Это совсем не выгодная покупка, — грустно вздохнула она.

Михаилу и правда больше были по душе прилизанные итальянские городки. Чистенькие песочные бухты.

Ровненькие участки со всеми коммуникациями и нормальными документами.

— Зато здесь раньше парковались пираты, — продолжала неумело нахваливать Кнопка. — И морские змеи водятся, я сама видела!

«Хоть Болгария страна и дешевая, в дикие деньги дом встанет. Любые нормальные стройматериалы придется из-за границы везти. Да и рабочих, наверно, тоже. До конца жизни буду компьютерные игрушки клепать, — продолжал прикидывать Томский. — Оно мне надо?»

Но вдруг представил: ряды кирпичных поддонов, цементная пыль. Кнопка в рабочем комбинезоне — суетится, пытается что-то втолковать строителям. Их дочь — хулиганка в измятом платье — увлеченно швыряет с обрыва камни. А он, будто Будда, восседает надо всем этим хаосом с лэптопом на коленях.

Картинка ему понравилась. Стоит попробовать!

* * *

Севка, когда узнал, что Нина Васильевна благополучно родила, радовался едва не больше, чем сам Томский:

— Ф-фу, прямо камень с души. Нет хуже, когда фрики детей заводят.

И, прямо в день счастливого события, улетел в Америку — специально оттягивал переговоры до момента, как Кнопка разрешится от бремени.

А Томский купил букет роз и помчался в роддом.

Однако жена пока лежала в реанимации, и его туда не пустили. И цветы не взяли — пришлось нянечке подарить. Ребенка тоже не показали: «Успеете еще, папаша, наглядеться».

Михаил особо и не расстроился.

Сева предупреждал: младенцы выглядят пугающе. Мутноглазые, сморщенные. А главное, ничего в них разумного — улыбаться не могут, даже толком не видят пока.

— Другое дело — лет через пять, когда ты сможешь повести его на футбол... Хотя какой футбол, у тебя девчонка.

— Ничего, — Томский старался говорить беспечно, — поведу ее в цирк.

— Ох, Мишаня. Да у тебя и без того дома сплошной цирк, — вздохнул Акимов.

Тут он был прав. Кнопка (всегда была с причудами) во время беременности совсем пошла вразнос. Увлеченно добивалась «внутренней гармонии с плодом». Купила домашний мини-фонтанчик, могла часами смотреть на воду. Или предавалась релаксу под странную (но якобы чрезвычайно полезную для *пузожителя*) мелодию. Училась какому-то особенному дыханию. Мебель переставляла — по фэн-шуй. Тоннами глотала литературу по воспитанию и раннему развитию грудных младенцев. Однако заранее закупить приданое (как советовал практичный Сева) отказалась категорически — боялась сглазить.

И сейчас — не успела родить, а уже полна новых идей: ей обязательно нужны зеленые яблоки, какой-то особенный, низкоаллергенный мед, а еще гомеопатические гранулы, чтоб молока было больше. Ну, и ребенку — кроватка, коляска, распашонки, пеленки, слинг...

— Бери домработницу, — советовал ему Сева. — Или няню. А лучше — обеих сразу.

Но Михаил и без того с некой дрожью предвкушал дочь, нового, пока постороннего человека в доме. А если к ней добавятся еще и чужие тетки — будет совсем беда. Лучше поверить доктору Споку (Кнопка цитировала), что дети — создания живучие, постоянно трястись над ними вовсе не надо. И попробовать справиться своими силами.

...Нина Васильевна рожала хотя и по дорогому контракту, но в клинике солидной, старорежимной. В отделение, где лежали больные с кардиопатологией, посетителей не пускали. Передачки принимали, как в советских фильмах, — через нянечку.

— Но на выписку я договорюсь, чтоб ты в палату поднялся, — щебетала по телефону жена. — А то у меня столько вещей скопилось — сама никак не унесу. Ой, все! Солнышко мое проснулось.

Томский слышал в трубке мяукающие, животные звуки и отчаянно трусил. Нет, это происходит не с ним. Просто быть не может, что он — гений, изгой — стал отцом. Обязан теперь быть для дочки примером, а для жены опорой.

Но через неделю неизбежное приперло к стенке: Кнопке с дочкой назначили выписку. Михаил (хотя понимал, что ведет себя несерьезно) даже Севе звонил: вдруг тот поможет, из Америки пораньше вернется?

Однако Акимов расхохотался:

— Нет, друг, не могу никак! Тут в твою новую игрушку сразу несколько корпораций вцепились. Занят по горло, выбираю, кто больше даст. Так что справляйся, папаша, сам.

Ничего не оставалось — поехал в роддом один. Но когда поднялся в кардиологию — палата номер тридцать один, как Кнопка и говорила, — его встретило пустое помещение. Даже белья на постели не имелось, пахло хлоркой, а нянечка с недовольным лицом намывала пол — на нем то ли кровь, то ли рвота.

Заметила Томского, сразу голову в плечи, отступает бочком, бормочет:

— Сейчас, сейчас... я доктора позову.

Михаил увидел: окно распахнуто, шестой этаж. А Кнопка что-то читала ему вечерами про *амок*, послеродовую депрессию — внезапную и беспощадную.

...Врач едва бросил взгляд на его побелевшее лицо — сразу заорал:

— Спокойно! Все хорошо. Она жива. Все под контролем.

И повторил раз пять, прежде чем Томский понял: Нина приболела. Совсем немножко. Острое нарушение сердечного ритма. С ее диагнозом — обычное дело.

— Сами понимаете: выписка, нервы. А ей волноваться нельзя.

— Где она? — Михаил едва удержался, чтобы не ухватить врача за грудки.

Доктор умело отступил, молвил спокойно:

— В реанимации, отдыхает под капельницей. Но долго держать не будем — койко-места на вес золота. Понаблюдаем пару денечков и отпустим. — Улыбнулся лукаво: — А дочку можете забирать.

— Не понял?

— У родильницы проблемы, но у ребенка никаких патологий нет. Так что девочку вашу уже пеленают. Вы на машине? Автокресло купили?

* * *

Вопросы быта Томский всегда игнорировал. Имелись еда, чистая рубашка — пользовался. Некому было позаботиться — не страдал ни капли. Ел, что находилось, батон хлеба например. Или два батона. Когда увлекался работой, мог, как верблюд, до двух суток на старых запасах.

И вдруг — младенец. А он один, и помочь некому.

Михаил разместил люльку-переноску на переднем пассажирском сиденье. Всю дорогу, пока стоял на светофорах, с удивлением и страхом рассматривал безмятежное спящее личико. И постоянно боялся, ждал: вот сейчас закричит, начнет извиваться. Потребует есть, пить, пустышку, маму. И что тогда делать?

Но юная Леночка милостиво позволила привезти себя домой. И лишь когда поднялись в квартиру, отчаянно разрыдалась.

Томский опасливо извлек дочку из люльки. Попробовал укачать. Малышка абсолютно осмысленно (явно врут, что младенцы почти слепые) взглянула в его лицо и заревела еще громче.

В голове у Михаила метались осколки полезной информации: смесь, бутылочку простерилизовать, растворять при температуре — какой? Уже вылетело. Или ей надо подгузник сменить? Томский принюхался. Пахло подозрительно. Но хотя бы не противно — будто кефир разлили.

И голову ей надо поддерживать как-то по-особому.

Он лихорадочно пытался вспомнить все полезное. Но в голову почему-то лезли мантры для детей. А на глаза попадались книжки для младенцев от одного дня и старше (тут Кнопка суеверничать не стала, накупила целую гору).

Леночка тем временем выпростала из-под одеяльца крошечную лапку-ручонку. Томский с удивлением увидел: на кулачки зачем-то надеты полотняные варежки. Зачем они дома? Осторожно снял. Пальцы — будто щупальца у крошечного осьминога. Или как водоросли, шевелятся бессмысленно, качаются на волне.

А глаза — инопланетные. Мудрые. Словно кроха семи дней от роду еще (или уже) знает — что там, за гранью по имени *жизнь*. Что будет с ней, и с ним, и со всем человечеством.

Он попытался перехватить ее взгляд. Глупо улыбнулся. Молвил:

— Ну-ка, скажи: «па-па».

Девчушка взглянула с презрением. И разразилась криками. Сейчас они совсем не были похожи на кошачье мурлыканье — скорее на рык разгневанной рыси.

Куда ее положить? Кроватки нет... Томский пристроил дочь в самом дальнем уголке дивана. Помчался на кухню. Дрожащими руками, под вопли разной степени интенсивности, взялся готовить смесь. Вскипятил воду, ошпарился. Первая порция еды вышла с комками. Вторая тоже. Когда наконец соорудил нечто приемлемое и вернулся в комнату, оказалось, что дочка — беспомощный младенец! — благополучно преодолела полтора метра до края дивана и теперь лежит на полу. Продолжает рыдать — тихонечко, безнадежно.

Ушиблась? Что-то сломала? Сотрясение мозга?

Бросился, подхватил на руки. Что надо поддерживать затылок, забыл — голова на тонюсенькой шейке опасно запрокинулась назад.

Сунул в рот бутылочку — отворачивается, плюется.

Томский не плакал с детства, но малявка довела. Из глаз брызнули слезы, упали на дочкин лоб. Лена взглянула удивленно, на секунду перестала реветь. А потом закатилась с новою силой.

* * *

Акимов наплевал на джетлаг и прямо из аэропорта отправился к Томскому.

Севу переполнял восторг. Впервые их с Мишкой многолетний симбиоз — содружество *гения и здравого ума* — принес оглушительный, сногсшибательный успех. Их признали не в России. И не в Китае. Им аплодировали в самой Силиконовой долине!

Причем купили глупыши-американцы не изящно выверенную бухгалтерскую программу. И не элегантный «Бой с призраком». Но удивительно тупую, на Севин взгляд, игру под названием «Прибей курицу». Акимов ее и продавать не собирался, показал просто для смеха, чтобы напряженную атмосферу переговоров разрядить. А демократы, борцы за справедливость, высоколобые «белые воротнички» уставились, будто завороженные, на примитивную картинку. Куры (стилизованные, смешные, в кроссовках) пытаются украсть у фермеров еду. А те безжалостно, с грудой перьев и потоками крови, птичек мочат. Вот и весь сюжет, который принес им с Томским — *прописью, большими буквами, жирно, обязательно подчеркнуть!* — **ОДИН МИЛЛИОН АМЕРИКАНСКИХ РУБЛЕЙ.**

Акимов разохотился, пытался еще проценты с продаж выторговать, но тут уж американцы восстали: too much!

Да он и сам понимал, что борзеет. Миллиона за мелочь, за безделицу — более чем достаточно.

Главное, процесс пошел. Дальше будет больше, много больше!..

...Предупреждать по телефону не стал — хотел, чтоб Томский своими глазами увидел заветный чек с шестизначной суммой.

Михаил не отпирал. Куда делся? Акимов успел и в офис позвонить («Нет, Томский уже неделю не появлялся»). И Кнопке («Аппарат выключен»).

Сева начал набирать психиатра (тот периодически осматривал неуравновешенного друга, когда нужно было, подкармливал волшебными таблеточками). Но тут дверь наконец отворилась.

На пороге покачивалось, держалось за стену привидение. Что Томский был грязен и небрит — дело обычное. Но почему бледен как смерть, почему ввалились глаза и трясутся руки?! Прикладывает дрожащий палец к губам, шипит несвежим дыханием:

— Тихо, только, ради бога, молчи...

Акимов отодвинул друга от порога, ворвался в квартиру. И долго разглядывал изумительную картину. Посреди дивана из подушек и коробок сложена крепость. Внутри — бесформенный кулек-младенец. Чепчик съехал набок, лицо чумазое, худое, исцарапанное. Одеяльце пропахло мочой.

— Ты... что с ребенком сделал? — ахнул Акимов. — И где Кнопка?

Тот обиженно прошептал:

— Кнопка в реанимации. А с дочкой все в норме. Сыта. Переодета. Спит. А лицо она сама когтями дерет. Я пробовал подстричь — но там такие ноготки крошечные, не ухватишь. Только палец ей порезал.

— Ох ты, папаша... — приобнял друга Сева. — А что детей мыть надо — тебе не говорили?

— Как ее мыть? — возмутился Томский. — Детской ванночки у меня нет, а во взрослой она утонет.

Акимов только рукой махнул.

Он тоже никогда не имел дел с младенцами.

Однако *косяки* друга устранил умело и быстро. Смазал мазью от ожогов (другой в доме не имелось) воспаленную попу младенца. Нашел и надел на крошечные кулачки полотняные перчатки. Сменил вонючие ползунки и грязный чепчик. А Томскому велел принять снотворное и отправиться спать.

Друг с благодарностью улыбнулся:

— Спасибо тебе. Я и без снотворного сейчас вырублюсь. С ней вообще не спал ночи три. Все казалось: сейчас упадет, задохнется или еще что.

Сева проводил компьютерного гения в спальню и, когда тот мгновенно засопел, по-отцовски заботливо подоткнул плед.

Потом кое-как прибрал на кухне, приготовил ребенку молочную смесь, покормил, укачал. (Девочка посматривала подозрительно, но не орала.)

А когда все в доме утихло, взялся за телефон.

Выяснил, что Кнопку выпишут послезавтра. Впрочем, что с ней, что без нее — порядка не будет. Тем более Нина Васильевна слаба, щадящий режим, да и в послеродовую депрессию наверняка скатится.

Томский может бушевать сколько хочет, что не потерпит в доме посторонних людей. Но без няни сладкая парочка младенца банально угробит.

К счастью, искать по знакомым или обращаться в агентство нужды нет. Двоюродную сестру Галку — будто по заказу! — сократили с работы. И муж ушел.

Пока что Сева помогал Галине сам, но испытывал тихое раздражение: «С какой стати?»

И вот — чудесный способ одним махом разрешить две проблемы.

— Галюня, — строго обратился Сева к сестре, — няней пойдешь? Человек богатый. Сколько платить станет? А сколько я скажу — столько и станет. Не волнуйся. Будешь жить как в раю.

* * *

Наши дни
Болгария

Не врут врачи: прогулки утром вдоль моря полезны. Особенно когда удается засечь ничего не подозревающую соперницу за откровенными пакостями.

Ларисе даже стало жаль мужа — наивного пожилого глупыша. Снял своей полюбовнице шикарный дом и на что, наивный, надеется? Что молодая красотка будет все лето сидеть на пляже? В руках книжечка, рядом играет дочка?

Однако не прошло и половины июня, а ребенок — неизвестно где. А сама мамзель активно кокетничает на корте. Куда, интересно, пойдут после матча? Судя по разгоряченным взглядам, которыми обменивалась парочка, наверняка в нумера.

Лариса даже пожалела, что не стала следить за игроками, а поспешила в гостиницу.

Впрочем, осознание, что соперница села в лужу (да в какую!), придало женщине небывалых вдохновения и сил. Компьютер сейчас словно часть ее существа, встроен в мозг, полностью подвластен и подконтролен.

И получается — все.

Вот тебе и «умный дом». Вот тебе и хваленая («Взлом невозможен ни при каких обстоятельствах») защита!

Ровно в полночь экран высветил: «Ворота отперты, сигнализация отключена».

Лариса прямо растерялась. Так быстро?..

Она отошла от компьютера. Встала у окна. Нервно забарабанила по стеклу. Слишком внезапно сбылось желание, и женщина, вместо того чтоб ликовать, слегка растерялась.

...А программа-взломщик продолжала работать и уже через четверть часа порадовала новой плашкой: «Камеры не работают, дом открыт».

И Лариса начала лихорадочно натягивать джинсы. Чего тут сомневаться, когда добыча сама в руки идет?!

* * *

Юна

День получился странный, нервный, счастливый. Я боялась, что ночью начну сомневаться, каяться и страдать. Но, неожиданно для себя, крепко уснула.

Разбудил меня нежный переливчатый звук.

«Птица?» — сквозь сон подумала я.

Перевернулась на другой бок и накрыла ухо подушкой.

Но приятная то ли песня, то ли мелодия продолжала звучать, и я села в постели. Часы на тумбочке (в ночное время экран у них всегда темный) сейчас мигали зелеными цифрами: «1.52».

Что за чертовщина? Очередное восстание машин?

Или — я тревожно спустила ноги с кровати — что-то с Маришкой и Дом меня предупреждает?

Накинула халат. Машинально отметила: свет в комнате — несмотря на то, что началось движение, — не включился. Лишь в коридоре горел — но еле-еле, тускло.

Я примчалась в дочкину комнату. Маришка уютно свернулась калачиком, дышала легко, улыбалась во сне.

Я тихонько вышла. Как только закрыла за собой дверь, опять раздалась давешняя переливчатая мелодия. Пока я была в своей спальне, казалось, ее издают часы. Но сейчас музыка доносилась откуда-то снизу.

Я быстро сбежала по лестнице на первый этаж и поняла: песенка играет в мониторной.

В сердце кольнул страх. Кто-то вошел на территорию? Но Манол обещал мне в подобном случае яркий свет на участке, сирены, собачий лай и немедленный вызов полиции. Однако сейчас все кругом тихо. Музычка о каких-то неполадках в электронике предупреждает?

— Ну, тут от меня, милый дом, толку мало, — пробормотала я.

Но в мониторную вошла. И сразу увидела: светятся сразу четыре экрана. Все они показывают участок. На первый взгляд все во дворе мирно. Однако внизу каждого экранчика мерцает тревожная надпись: «Ворота отперты, сигнализация отключена».

Я вцепилась в столешницу. Руки дрожали. Где обещанная тревога? Где охрана или полиция? Вызывать ее, как тут говорят, мануально? Но каким образом? Манол не объяснил, сказал, если что — система сама сработает.

Или это просто очередной электронный глюк?

Я до рези в глазах вглядывалась в экраны и не видела никого.

Но вдруг показалось: за спиной что-то скрипнуло.

Я в ужасе обернулась. Никого. Но в коридоре что-то щелкнуло... а потом зашелестели шаги.

Первым желанием было метнуться под стол, схорониться. Молить всех богов, чтобы меня не заметили. И я уже бросилась прятаться. Но тут в голове стрельнуло: «Очнись, мамаша! У тебя дочь!»

Страх лично за себя немедленно улетучился. Я пулей выскочила из мониторной — и нос к носу столкнулась с женщиной.

В коридоре немедленно — будто театральную мизансцену готовили — полыхнул яркий свет.

— Лариса... — пробормотала я.

И отступила. Инстинктивно. На ней плащ. Летом. Зачем? У нее оружие?! Кому она хочет мстить? Только мне? Или беззащитной Маришке?!

Бежать — наверх, к дочери? Или нападать первой?

Лицо у Ларисы злое. Но какое-то... слегка неуверенное. Словно еще не решила, не поставила запятую в сакраментальном: «Казнить нельзя помиловать».

И я сама не поняла, как с языка сорвалось:

— Чаю хотите?

У меня и мысли не было, что она согласится. Просто хотела ошеломить, выбить из колеи.

Цели, может, и не достигла, но, по крайней мере, Лариса не схватилась за пистолет и не кинулась на меня с кулаками — прямо сейчас.

А пока она не решила, что делать, я торопливо начала:

— Лариса, просто замечательно, что вы пришли, я давно вас искала, хотела поговорить.

Она не сводила с меня глаз, и я затараторила еще быстрее:

— Я никогда не хотела отбивать у вас мужа.

— Да неужели? — Ее первая, исполненная горькой иронии реплика.

— Но вы ведь сами видите: он на мне не женился. За столько лет! Он предан вам, предан детям. И не хочет развода. А я... я тоже поняла, что нельзя разбивать чужую семью.

— Ты родила от него дочь. Восемь лет назад. — В Ларисином голосе звучало искреннее презрение.

— Да. Я сволочь и гадина. Я была не права. Так получилось. Но, видит бог, я раскаиваюсь. И весь последний год пытаюсь уйти от Максима. И ушла бы. Но у дочери нашли астму, и мы...

— Слушай, хватит, а? — тоскливо оборвала Максова жена.

— Нет, не хватит.

Я говорила и постепенно перемещалась спиной к лестнице на второй этаж. Закрывала своим телом дорогу к Маришке.

— Я действительно теперь хочу жить своими силами, своим умом. Я... я встречаюсь с другим мужчиной! И Макс об этом знает. Я сегодня ему рассказала...

— Я — рассказала, — со значением поправила Лариса.

— И правильно сделали, спасибо вам огромное, я сама просто не решалась! Мы с Максом правда расстаемся. Я очень виновата перед вами, но клянусь: сейчас между нами все кончено. Я больше на пушечный выстрел к нему не подойду. И не возьму у него ни копеечки!

— А чего тогда здесь живешь? — рявкнула Лара.

Отлично. Уже не чистая агрессия, а почти диалог!

Принять максимально простушечный вид:

— Но глупо съезжать, когда арендная плата не возвращается. А у дочки все равно каникулы...

Лицо женщины исказил гнев. Похоже, не верит она мне ни на грош.

Убивать, наверно, не станет. Но выцарапать мне глаза ей хочется чрезвычайно, я это видела.

И вдруг спасительным колоколом грянул звонок.

— Кто это? — Лариса неприкрыто растерялась.

— Я успела вызвать охрану, — не моргнув глазом соврала я.

И пока она растерянно озиралась, нажала на клавишу домофона, радостно закричала:

— Да, все открыто! Проходите!

Ее глаза заметались:

— Этого не может быть! — выкрикнула она.

— Почему же не может?! — усмехнулась я. — Здесь серьезная система охраны. Странно, что вы вообще смогли попасть в дом.

Домофон подмигнул зеленым огоньком, мужским голосом сообщил:

— Это Манол. Я могу войти?

— Конечно! — не скрывала своего счастья я.

На Ларису теперь было жалко смотреть.

Мы расстанемся врагами. Не хотелось бы.

И когда Манол вошел в прихожую, я торопливо заговорила:

— Я очень извиняюсь, что вас побеспокоила. Но видите ли, в чем дело. Ко мне приехала знакомая, и она совсем запуталась во всех этих «умных» штучках. Вышла во двор, когда дом стоял на охране, попыталась открыть ворота. Вот к вам вызов и поступил.

Мужчина окинул нас обеих подозрительным взглядом. Буркнул:

— У меня есть видеозапись. Ваша гостья входила снаружи. Но сигнал тревоги почему-то не прозвучал, хотя дом стоял на охране. Хорошо, что есть система двойного контроля. Тревожная кнопка сработала позже, когда открылась входная дверь...

Лариса стояла столбом. А я продолжала тараторить:

— Ваша электроника все напутала. Она не вламывалась сюда, она, наоборот, хотела выйти. Ей просто срочно надо в Агатополис, у нее там встреча. О, кстати! Вы ведь все равно сейчас в город едете? Захватите ее, пожалуйста, с собой. Мы обе будем вам очень благодарны!

В коридоре на тумбочке очень кстати я вчера вечером оставила кошелек. Сейчас вытянула оттуда сто левов, сунула Манолу в карман.

Сервисмен пожал плечами, молвил саркастически:

— Ладно, мне не сложно. Сначала приехать по тревоге. А потом — отвезти человека на встречу. В половине третьего утра.

Махнул Ларисе:

— Пойдемте.

Она растерянно последовала за ним.

Я не сводила с монитора глаз, пока машина Манола не выехала и не включилась плашечка: «Ворота заперты, сигнализация включена».

А потом опустилась на колени. С чувством произнесла:

— Спасибо тебе, чудесный, замечательный, самый лучший в мире дом!

* * *

Лариса яростно бросала в сумку свои вещи. Пусть болгарин уверял, что самолеты начинают летать только в семь утра, она поедет в аэропорт прямо сейчас. Она не может ни минуты больше оставаться в этом мерзком городишке и в этой гостиничке.

Ее обманули. Просто посмеялись над ней, и все.

Ей позволили поверить, что программа-взломщик работает.

Дали пройти по участку, открыть входную дверь. А потом — щелкнули по носу.

Лариса не сомневалась: Максова полюбовница глубокой ночью будет мирно спать. Но та встретила ее во всеоружии. Загодя вызвала охранника. А пока тот ехал, пудрила мозг: «Я бедная овечка, невиноватая! Он сам пришел!»

Да еще напоследок в благородную сыграла. Хотя запросто могла ее сдать.

В итоге ни эффекта неожиданности, ни красивой сцены. А убивать соперницу Лариса была не готова. Не потому, что добрая. Из-за сыновей. Каково мальчишкам будет, если ее посадят?

Собственная гордость уязвлена максимально. Восторжествовать над соперницей не удалось. Взломать «умный дом» — тоже.

Что оставалось?

Только убегать и пока что зализывать раны.

Ну а потом она решит, как поступить дальше.

Но худеть — для Макса! — и танцевать для него стриптиз Лариса точно не станет никогда!

* * *

Девять лет назад

Семья Томских покидала Москву. Навсегда.

Михаила сей факт почти не волновал. Зато Кнопка с Леночкой прощались с городом — азартно, увлеченно, со вкусом. То в зоопарке они, то на ВДНХ, то на Воробьевых горах. В последний раз. То есть, конечно, в крайний.

А сегодня вечером в Большой театр собирались.

Юная Леночка перебрала с десяток пар туфель — чтобы обязательно подходили к платью. И даже накрасила себе ногти. А когда Кнопка начала возмущаться, что в восемь лет красный лак — это полное безобразие, девочка немедленно прибежала к папе — жаловаться.

Ни один человек в мире не смел врываться к Томскому в кабинет. Но дочери позволялось все.

Михаил оторвался от компьютера, выслушал дочку. Позвал жену, вступил с ней в дипломатические переговоры. Тянулись они долго, но завершились убедительной победой программиста. Нина Васильевна больше не ругала второклассницу-дочь. Больше того, она и себе сделала маникюр. А также уложила волосы и выщипала брови.

— А вы прям почти красивая, — милостиво похвалила домработница, Галина Георгиевна. (Она с хозяйкой была без церемоний.)

Томский любовался своими *девочками*. И почему-то страшно не хотел отпускать их одних. Именно сегодня. Даже заикнулся:

— Может, в другой раз сходите?

Но те возмутились.

— Папа, ты, конечно, велик. На афишу ради тебя пока не переписывают, — съехидничала дочь.

И Кнопка ей в унисон:

— Миш, да ты что?! Я за этими билетами два часа в очереди отстояла!

Подошла, обняла, сбавила тон:

— Почему ты не хочешь, чтобы мы шли?

Томский растерянно улыбнулся. Пробормотал:

— Сам не знаю. Я просто очень за вас беспокоюсь.

Леночка немедленно забралась к нему на колени, начала убеждать:

— Пап, но мы ведь идем в главный театр страны! Там Кремль напротив и президент совсем рядом. Что с нами может случиться?

Михаил и сам понимал: он ведет себя глупо. Чего опасного, если жена с дочкой сами сходят на выпускной концерт хореографического училища?

Но ничего с собой поделать не мог.

Чем больше девочки упорствовали, тем сильнее тревога пропитывала все его существо, въедалась в кровь, точила мозг. Казалось: именно сегодня, чудесным июньским днем, случится что-то непоправимое.

«Да что за бред? — говорил он себе. — Возьми себя в руки, несчастный психопат!»

Но трудно успокоиться аутотренингом, когда нервы постоянно на взводе. И дела идут все хуже и хуже.

Его пока еще называли гением. Брали интервью, приглашали в ток-шоу (иногда, под нажимом Севы, он соглашался, шел).

Их фирма продолжала снимать офис в дорогом бизнес-центре. К Михаилу даже, бывало, подбегали восхищенные геймеры или юные программисты, брали автографы.

Но выгодных или хотя бы интересных заказов они не получали давно. А *безделушки,* что исправно выбрасывались на рынок, продавались все хуже.

Когда-то, после своих побед на международных олимпиадах, Томский считался едва ли не первым и, несомненно, лучшим программистом страны. А теперь задыхался в толпе безликих, но многочисленных конкурентов.

Рынок компьютерных игрушек — как горшок с кашей из рассказа Носова — выходил из берегов, растекался, изгаживал все вокруг. Сотни, тысячи одинаково примитивных стрелялок и бродилок расползались по России.

И продукция фирмы Томского ничем не выделялась — наоборот, тонула в серой массе.

Но враги не просто теснили с рынка. В соцсетях, в прессе развернулась гадкая пиар-кампания. То тут, то там проскакивали явно оплаченные статейки. Что игрушки Томского сложны в установке, долго грузятся, занимают непомерное количество памяти.

И доля правды в утверждениях врагов, увы, имелась.

Компьютерная игра (как и любое произведение искусства) получается гениальной, если ты вложил в нее всего себя.

Но Михаил всегда недолюбливал программирование. А сейчас искал любой повод, чтобы тупое занятие отложить. Увильнуть от него. Или сварганить что-то очень быстренько, лишь бы отвязались.

Не до игрушек ему сейчас.

Пять лет назад их семья наконец начала в Болгарии «стройку века». И Томского полностью захватило новое занятие — сделать чудо-жилище, самый необычный, самый лучший дом в мире.

Работать *в команде* — вместе с любимыми женой и дочкой — ему неожиданно понравилось. Куда интереснее оказалось, чем в гордом одиночестве просиживать за компьютером.

Кнопка с Леночкой обожали летать в Болгарию, болтаться по стройке. Постоянно рвались помогать рабочим. Нина Васильевна выносила строительный мусор, очень ловко клеила обои, аккуратно, по линеечке, выкладывала паркет. А крошка-дочурка однажды увидела в строительном супермаркете маленькую, в десятую долю от обычного размера, плитку, загорелась: «Хочу такую себе в ванную! Только я сама, сама все сделаю!»

И ведь выложила — пусть криво-косо, зато собственными руками. Томский не терпел неаккуратности, но творение любимой дочери переделывать не велел.

...Когда в их любимом доме стало можно жить, Михаил потерял голову окончательно. При любой возможности рвался в Агатополис. Только там, в доме-корабле на обрыве, он чувствовал себя спокойным и счастливым.

Друг Сева до поры с пониманием относился к причудам гения. Соглашался: программист — не слесарь, его работать от звонка до звонка не заставишь. Да и с чего было беспокоиться, если игрушки Томского установлены были, без преувеличения, в каждом компьютере страны.

Но когда их начали выдавливать с рынка — Акимов занервничал.

Сначала искренне старался создать Михаилу максимально комфортную атмосферу для творчества. Придумать для друга мотивацию. Раззадорить.

Но когда понял, что *гений* программиста теперь направлен на ерунду — какой-то дом! — стал откровенно злиться.

— Сева, — просил Томский, — ну потерпи. Дай я закончу стройку. Перееду в Болгарию и выдам тебе оттуда что-нибудь эдакое. Чтобы весь мир закачался!

Но Акимов безжалостно пожимал плечами:

— А я не могу ждать. Нам зарплату людям платить. И аренду. И кредит гасить. На какие шиши?

— Решай сам! — возмущался программист. — Мы с самого начала договаривались: рутина меня не касается.

— Я сам все и решал. Одиннадцать лет, — парировал друг. — А сейчас ресурсы исчерпаны.

— Надо было резервный фонд создавать!

— Томский, да проели мы уже резервный фонд. Ты этот дурацкий дом начал строить пять лет назад. И ничего хитового с тех пор не написал.

— Сейчас хиты никому не нужны, — отбивался Михаил. — Пипл хавает примитив.

— Так напиши примитив — но чтобы он стал хитом! Вроде тех курочек, что мы в Америку когда-то продали.

Михаил пытался. Честно включал компьютер, силился сосредоточиться... но не выходило ничего.

— Я уеду в Болгарию, и все придет само! Клянусь! — оправдывался он перед другом.

Но Акимов продолжал давить:

— А что мне делать — *сейчас*? Объявлять нас банкротами?!

— Нет, черт возьми! Придумай что-нибудь. Возьми кредит!

— Никто не даст. В тебя никто уже не верит.

— Бред! Чушь! Деньги сейчас всем просто впихивают, только договор подпиши. Ищи тех, кто даст.

— Да нашел я уже, — вздохнул Сева. — Но они просят тебя предъявить. Убедиться хотят, что не спился, что не обкуренный. Пойдешь?

— А что, у меня есть выбор? — зло буркнул Томский.

...Словно назло, банкиры назначили встречу на тот вечер, когда Томский с женой и дочкой собирались в театр. Звонить, просить, чтобы перенесли, Сева категорически отказался.

Ночью Михаил почти не спал и уже с утра был на взводе.

Дома ведь тоже не все шло гладко.

Два месяца назад обокрали их квартиру. Ущерб оказался невелик: музыкальный центр да телевизор. Ну, и простенький сейф вскрыли. Забрали оттуда наличные и охотничью «Беретту» — Томский пару лет назад купил ружье для самозащиты.

«Повезло тебе, — веселилась Кнопка, — что я шубы ненавижу. И драгоценностей не ношу».

Беспечная Нина Васильевна предложила сменить замки и на том успокоиться. Но Михаил всегда очень болезненно воспринимал, когда посягают на его территорию. Потому, не ставя жену в известность, установил в подъезде видеокамеру и написал простенькую программку. Если кто-то у его двери останавливался хотя бы на пару секунд — ему на компьютер мгновенно приходило сообщение.

Сам не ожидал, что тревожный сигнал раздастся настолько быстро — на третий день. Михаил даже сначала подумал: глюк. Программу недоработал. Но просмотр включил. Правда, рассмотреть незваного гостя не успел — тот очень быстро ретировался. Однако бейсболка, низко натянутая на лоб, Михаилу совсем не понравилась.

Он увеличил разрешение и велел программе: если тип в бейсболке появится снова, бить тревогу немедля.

Поделился опасениями с Кнопкой, но та отмахнулась:

— Брось! Два раза в одну воронку бомба не падает.

Однако уже назавтра незнакомец явился снова, и картинка на сей раз получилась отличная: молодое, недружелюбное, прыщавое лицо.

Парень стоял у *их двери* и неумело ковырялся в замке отмычкой.

Постоянно оглядывался, руки дрожали. Через двадцать секунд раздался собачий лай (тоже смоделированный программой), и воришка прыснул от двери, словно трусливый заяц.

Замки остались в целости. А Томский тем же вечером предъявил фотографию Нине Васильевне.

Та побледнела:

— Тимка...

И вскинула на мужа убитые глаза:

— Миш... он... он, наверно, просто в гости приходил...

Михаил молча увеличил масштаб — теперь отмычку в руках парня было видно отлично.

— Вот дурачок! — грустно произнесла жена.

И убежала на кухню — плакать.

Томский утешать не стал.

Тимофей когда-то жил в детдоме, где работала Нина Васильевна. Она выделяла его среди прочих своих воспитанников. Уверяла Томского, что у мальчика чистая душа, светлая голова. Приглашала в гости. Водила в кино и в театры. Усыновить мечтала.

Однако Михаил все время испытывал к этому ребенку чувство гадливости. И не сомневался: тот лишь прикидывается агнцем, беззащитным сироткой.

Томский не запрещал Кнопке принимать Тимофея в доме. Сам — когда мальчик являлся в гости — встречал того сухо и сразу уходил к себе в кабинет.

Но успевал увидеть, как завистливо шарят хитрые глазенки по дорогой стереосистеме, телевизору, бумажнику, беспечно забытому на журнальном столе.

...Кнопка расстроилась, словно ребенок. Даже отказать Тимке от дома не смогла — попросила мужа.

Парень разговаривал нагло. Что пытался вскрыть

их квартиру, не отрицал. Еще и буркнул: «Давно вас надо раскулачить, буржуев».

Михаил даже хотел позвонить следователю, который вел дело о краже. Попросить, чтобы тот проверил Тимофея на причастность к *делу*. Но Кнопка упросила не портить дураку жизнь. И Томский послушался. Хотя нервничать стал еще больше.

Вот и сегодня с утра, едва проснулся, первым делом побежал проверять замки. Хотя после Тимкиной выходки они не просто запоры в очередной раз сменили, но поставили бронированную дверь и профессиональное видеонаблюдение.

Затем отправился в кухню.

Домработница Галина Георгиевна стояла у открытого окна, щурилась на робкий после дождя солнечный луч. Михаил решительно подошел. Затворил створки, задернул шторы.

— Душно ведь! — пискнула женщина.

— Включите кондиционер, — отрезал Михаил.

Нечего демонстрировать потенциальным преступникам богатую обстановку.

...А девочкам сказал:

— В театр я закажу вам такси. Государственное. Туда и обратно.

Кнопка глазами захлопала:

— Миш, ну зачем? К семи вечера в центр, самый час-пик. И Леночку в чужих машинах часто укачивает, сам знаешь. А после спектакля мы погулять хотели.

— Черт, вот Севка некстати эту встречу назначил! Я бы вас сам отвез! — досадливо молвил он.

— Папа! — Дочка обняла его за талию. — Ты,

конечно, в тысячу раз лучше любого такси! Но на метро мне тоже нравится. Я смотрю, как люди одеты, запоминаю фасоны.

...В свои восемь лет Леночка успела выбрать профессию. Всем заявляла: когда вырастет, она будет *модницей*.

Крутиться перед зеркалом девочка уже сейчас могла часами и совершенно серьезно упрекала маму: «Как ты можешь жить, если у тебя туфель на шпильках нет? Ни одних?!»

— В кого она у нас такая? — хохотала Кнопка.

И пыталась увлечь ребенка рисованием или спортом. Однако если Леночка рисовала — то исключительно одежду. А на фигурное катание и бальные танцы чуть не каждую неделю просила купить себе очередной комплект красивой формы.

Кнопка ворчала, что дочь у нее растет мещанкой, но Михаил безропотно покупал для девочки все новые и новые наряды. И даже предусмотрел в болгарском доме — специально для Леночки — секретный будуар под самой крышей.

Он обожал свою легкую, изящную, веселую, яркую, жизнерадостную дочку.

И лелеял тайную от Севки мечту: в Болгарию уехать. Но никакой компьютерный хит там не писать. Вообще бросить постылое программирование. Денег он скопил. Лет на десять жизни без излишеств ему с семьей точно хватит. Он не будет делать ни-че-го. Только наслаждаться соленым бризом на террасе. Смотреть, как переливаются всеми красками волны на закате. Обнимать Кнопку, баловать дочь. И, может быть, закончит наконец докторскую по физике.

...Но пока надо дотерпеть. Последние денечки в Москве.

Михаил тяжко вздохнул, украдкой взглянул на часы: восемь вечера. В театре, наверное, антракт. Леночка, конечно, потащила маму бродить по парадным залам Большого. Для похода на балет он заказал дочке в Интернете изумительно красивое платье — с пышной юбкой ниже колена и коротенькой пелеринкой.

Сева что-то горячо вещал хмурому банкиру и двум его не менее суровым прихлебателям. Михаил мазнул взглядом по неприветливым лицам. Чего друг старается? Разве дадут кредит, когда сидят с такими физиономиями? Хотя, может, и дадут. На таких условиях, что их фирма окончательно разорится.

...Он с трудом дождался, пока переговоры завершились. Едва финансисты вышли, Сева напустился на партнера по бизнесу:

— Чего ты надулся, как мышь на крупу?! Хоть бы словечко сказал!

Михаил слушать не стал: отвернулся, нажал на телефоне единичку — быстрый набор Кнопкиного номера.

«Аппарат абонента выключен».

Странно. Ровно девять часов, концерт должен был закончиться десять минут назад (Михаил проверил на сайте Большого театра). Нина Васильевна забыла телефон включить? Или девочки сразу в метро побежали? Не может быть: Кнопка обещала дочке, что они после спектакля пойдут гулять.

Михаил набрал номер Леночки — и опять нарвался на механический голос. Тоже еще не включила? Или просто оставила дома?

Девочка свой сотовый телефон ненавидела. Она вожделела китайскую дешевку со стразиками, но Томский купил ей строгий и современный аппарат. Так что упрямица могла просто из принципа забыть *это страшилище*.

Томский снова позвонил Кнопке, потом снова дочке. Опять услышал автоответчики...

Сеня наконец заметил его волнение, спросил:

— Ты чего такой зеленый?

— Сейчас, подожди. — Михаил уже набирал домашний.

Ответила Галина Георгиевна:

— Нет, они не появлялись. Так ведь и рано еще! Леночка сказала, что они на Красную площадь пойдут.

Томский не дослушал, бросил трубку. Вытащил из кожаного чехла верный лэптоп, пробудил его из спячки.

Сева маячил за спиной, дышал в ухо. Для него личный компьютер Томского был чем-то вроде алтаря, сгустком божественной энергии, куда его — простого смертного — не допускали.

Михаил одним кликом запустил нужную программу.

У дочери на телефоне стоял «маячок».

«Пожалуйста, покажи, — молил он, — что они на Красной площади, и я немедленно успокоюсь».

Однако на экране вместо жизнерадостного зеленого огонька высветилась черная точка.

Сева не удержался:

— Что за программа, впервые вижу. Ты написал?

Михаил молчал. Разом вспотевшие ладони судорожно вцепились в столешницу.

Сева склонился к экрану, прищурился, укорил:

— Шрифт выбрал неудачный, глаза сломаешь. Что написано, не разберу... Destroyed?

И вскинул глаза на друга:

— Чего там у тебя уничтожилось?

— Дочкина сим-карта, — разом севшим голосом отозвался Михаил.

Сева вздохнул с облегчением:

— Ф-фу, напугал! Подумаешь! Может, сломалась. Или телефон украли, а симку выбросили. Обычное дело. Купишь новый.

Севин голос раздражал, будто писк комара. Жаль, невозможно прихлопнуть. Или нажать «delete».

Томский зажал уши руками. Кликнул по кнопке «эпитафия».

Так — шутливо — он назвал сосредоточение информации по потерянной сим-карте.

Но сейчас было ощущение, будто он действительно стоит у могильного памятника.

Сим-карту Леночки уничтожили в 18.03. На улице Маломосковской, в двух кварталах от их дома. Возле мусорного бака. Дочка выронила телефон или его украли по пути к метро?

Но проблема в том — он увеличил масштаб, хотя и так было ясно, что метро находилось совсем в другой стороне.

— С ними что-то случилось, — выдохнул Михаил.

Сева взглянул презрительно:

— Слушай, ты прямо клушей становишься. Гуляют твои дамы! Лето, вечер! В кафешке они. Или в детском мире каком-нибудь!

Михаил не удостоил его ответом. Из офиса на парковку он, не стесняясь, бежал. И домой гнал, объезжал пробки по выделенке и тротуарам.

Галина Георгиевна встретила его в коридоре. Всплеснула руками

— Ой, а я думала, это Нина с Леночкой! Давно бы им пора появиться! Половина одиннадцатого!

Михаил няни стесняться не стал. Прямо в коридоре опустился на пол, обхватил голову руками, заплакал. Что делать, что, что?!

Бежать в полицию? И говорить, что жена с дочкой задержались в театре — всего-то на час? Бред.

Искать их самому?

Когда жизнь припирала к стенке, Томскому по силам было все. Взломать систему видеонаблюдения в Большом театре? Пожалуйста. Грохнуть сеть видеокамер возле их станции метро? Тоже без проблем — какая бы защита там ни стояла.

Он и ринулся было в свою стихию, в кабинет, но удержал себя усилием воли. Начать компьютерный взлом — политика страуса. Он просто убьет несколько часов времени. А жене с дочкой — реально! — никак не поможет. Ну, убедится, что они входили (или не входили) в метро. Присутствовали (или нет) на спектакле. Только Михаил и без того — душой, всем сердцем, мозгом, интуицией чувствовал: с его любимыми девочками беда произошла раньше. Не в метро и не в театре, а здесь, совсем недалеко от дома. Там, где разломали дочкину сим-карту.

Он продолжал сидеть в коридоре, у тумбочки для обуви, на полу. Глотал слезы. Няня суетилась вокруг, лепетала:

— Михаил, Мишенька! Вам плохо? Вызвать «Скорую»?

Больше всего ему сейчас хотелось схватить женщину и придушить — ее же кокетливым шейным платком. Не навсегда — пусть просто потеряет сознание и помолчит хотя бы минут пятнадцать.

«Томский, не сходи с ума. Не сейчас. Сначала спаси жену с дочкой. А потом можешь душить кого угодно», — сказал он себе.

Огромным усилием воли взял себя в руки. Тяжело поднялся, сухо бросил Галине Георгиевне: «Пойдемте». Остановился в кухне у окна. Незаметно, в кармане, включил диктофон на запись. Спросил:

— Во сколько они ушли? До минуты?

— Ну... я прямо до минуты не помню, — смутилась женщина. — Часов в шесть, около того.

— Наблюдали за ними в окно?

— А как же! — улыбнулась няня. — Леночка такая красивая была...

Затравленно взглянула, поправилась:

— Ой, почему «была»? Тьфу на язык мой глазливый! Я имею в виду, платьице вы ей красивое купили, я налюбоваться не могла. Она еще подол так смешно поднимала, чтобы его об землю не испачкать...

— По делу говори, — с ненавистью бросил Михаил.

— А чего по делу? — испуганно взглянула она. — Ну, пошли они, как мы всегда отсюда к метро ходим. Наискосок через двор, мимо магазина... а дальше я уж не видела.

Михаил иногда тоже ходил пешком до метро. И знал, что после магазина можно свернуть направо на бульвар, а оттуда еще раз повернуть перпендикулярно, непосредственно к подземке. Но свои — кто знал, как срезать — всегда шли *по гипотенузе.* Сквозь территорию поликлиники. В одну калитку входишь, в другую выходишь (обе всегда открыты). И ворота открыты — заезжай, кто желает.

Их могли затащить в машину там. Или на большой парковке у метро. Ранний вечер, теплый июнь, у народа в голове одна мысль: пивка и расслабиться. Даже если женщину с девочкой тащат в автомобиль, а они вырываются, кто там будет обращать внимание? Решат: дело семейное.

Но зачем, зачем?! Будут требовать выкуп?

Неужели это Тимка, подлый гаденыш? Или, может быть... конкуренты? Сева старался не посвящать его в рутину, но Томский знал: не так давно им предлагали уйти с рынка «по-хорошему». За символическую, совсем несерьезную сумму. И, кажется, угрожали.

Но — если ситуация была настолько критической — почему Акимов не предостерег? Начальника службы безопасности они держат, зарплату ему платят. Почему все молчали? Если бы только намекнули, что девчонок подстерегает опасность, Томский в тот же день взял бы им охрану.

...А Галина Георгиевна продолжает лепетать:

— Мишенька, не волнуйтесь, пожалуйста. Наверняка они просто загулялись, погодка-то какая дивная...

Хотя у самой — глаза испуганные.

В кармане взвыл мобильник. Михаил схватил его дрожащими руками и еле удержался, чтобы не метнуть в стену: на определителе значилось «Сева».

— Ну что? Явились твои красавицы? — весело поинтересовался друг. — Как нет? Уже полночь. Ты шутишь?!

— Сева... — Томский пытался сдержать рыдания в голосе и не мог. — Они пропали. Что нужно сделать, чтобы их найти? Скажи мне. Пожалуйста!

— Э... — Всегда безапелляционный друг неприкрыто растерялся.

— Не знаешь, что сказать? — Томского швырнуло от отчаяния к дикой ярости. — Смотри, Севка. Если это по твоей вине... если ты недосмотрел, я тебя первым убью!

Любой другой на его месте бы возмутился: «При чем здесь я?»

Но Акимов работал с Томским много лет и знал к другу подходы. Потому оправдываться не стал. Решительно молвил:

— Хватит орать. Надо в бюро несчастных случаев звонить. В полицию. Выяснять: может, авария. Или ограбили их. Или несчастный случай.

— Они бы тогда давно дали знать, — глухо отозвался муж и отец. — Нина нашла бы возможность меня предупредить.

— А если телефона нет под рукой? Или без сознания, не дай бог?

Михаил представил свою жену и красавицу дочь в паутине капельниц, катетеров, дыхательных трубок и застонал.

И в этот момент зазвонил городской.

Галина Георгиевна кинулась к аппарату, но Михаил ее опередил, оттолкнул, выкрикнул:

— Да!

— Томский, ты? — дурашливо, в стиле булгаковского Коровьева, молвила трубка.

— Да, — прохрипел он в ответ.

— Твои дамы у меня, — весело доложил дребезжащий голосок.

— Сука! — выкрикнул Томский.

А дальше — завернул такую тираду, что нянька в страхе присела.

Весельчак терпеливо выслушал. Когда Михаил иссяк, произнес — все тем же игривым тоном:

— Ругаться нехорошо, господин программист. А то я могу твоей дочке и пальчик отрезать. Или носик. Он у нее такой милый, с веснушками. Косточки нежные. Даже пилы не надо. Одним скальпелем обойдусь.

— Что... что ты хочешь?

— Как — что, за таких красавиц? — Собеседник обиженно хохотнул. — Денежку.

— Сколько? — сразу взял быка за рога Михаил.

— Пять миллионов долларов.

— Но у меня столько нет!

— У всех нет. Ищи, где хочешь, — посуровела трубка. — Я позвоню через два дня. А если ты к ментам сейчас побежишь — сразу мизинчик тебе пришлю. С красным лаком. Фу. Как можно девчонке разрешать ногти красить?

И, прежде чем запищали гудки отбоя, еще раз хихикнуть успел.

— Пьяный. Или наркоман, — прошептал Михаил.

— Что ж теперь будет? — по-бабьи охнула нянька.

Лицо перепуганное и какое-то, показалось Томскому, *жадное* — до чужих страданий, чужой беды.

Он грубо крикнул:

— Пошла вон отсюда!

И бросился в кабинет.

Запер за собой дверь.

Нужно срочно собирать деньги. Что-то продавать, занимать.

Когда речь о Кнопке и любимой дочке, других вариантов просто нет.

...В дверь торопливо, требовательно застучали. Ну, разумеется, Севка явился. Сочувственный, деловитый. В руках бутылка коньяка, стопки. Первым делом налил, заставил выпить до дна. Сам едва отхлебнул. По лицу было видно: нянька ему все уже рассказала.

Друг осторожно произнес:

— Миш... чего делать будем?

— Как — что? — пожал плечами Томский. — Платить, конечно.

— А если ты заплатишь... а они — все равно? Ну, ты понимаешь... Может, лучше в полицию?

— Нет, — рубанул Михаил.

Обхватил себя руками, вонзил ногти в кожу. Удерживался из последних сил, чтоб не начать рыдать. Топать ногами. Биться головой в стену.

— Миш. — Акимов смотрел жалобно. — Я согласен. Полиция работает грубо, им такое дело деликатное не доверишь. Давай своими силами попробуем. Хотя бы этого детдомовца дернем, как его — Тимофей, что ли? И тех гадов, что фирму нашу купить хотели, прощупаем.

— А если Лену с Кнопкой убьют?

— Но их... их и так могут убить. Даже если ты заплатишь. Я тебе говорю: давай рискнем. Нельзя ведь карты сбрасывать совсем без борьбы...

Тут Томский не удержался.

Схватил Севу за грудки. Встряхнул от души — у друга клацнули зубы, голова запрокинулась. Прошипел в лицо:

— Мы не в казино, придурок. На жизнь жены с дочкой я играть не буду.

* * *

Михаил ждал. Ждал. Ждал.

Как раздастся звонок в дверь и на пороге покажутся они: похудевшие, несчастные, любимые.

Или в телефоне, наконец, дрожащий Кнопкин голос: «Нас отпустили».

Однако пошла уже четыреста двадцать седьмая минута с момента, как он оставил дипломат с деньгами на вокзале. И сообщил *глумливому голосу* шифр от ячейки камеры хранения.

— Жди, милок, — велел тот. — Если все чики-пики, мы тебе позвоним.

Михаил никому, даже верному Севе, не сказал, куда ему велели подвезти деньги. А то с друга станется приставить за курьером «хвост» и все сорвать.

Но сам кое-что успел.

Похититель сделал глупость. Позвонил ему в девять вечера и велел быть на Казанском вокзале аж к десяти тридцати. Михаилу хватило времени прежде, чем выехать, взломать вокзальную сеть видеокамер.

Хотя сейф, куда следовало положить дипломат с деньгами, и оказался от камеры в самом дальнем углу (специально, видно, выбирали), кое-что разглядеть было можно. По крайней мере, себя — настороженного, бледного, с портфелем в руках — Михаил потом узнал сразу. А вот лицо курьера различить можно было с большим трудом. Кепка надвинута на самый нос, темные очки, воротник поднят. Сутулый, дерганый. Что-то очень нервное и неуловимо женское в облике. Томскому показалось: это тот самый обладатель козлиного голоска. Похоже, не только алкоголик или наркоман, еще и гомосексуалист.

Может, Сева был прав, когда говорил, что Михаил переоценивает силы противника? И действует никакая не банда, а двое, от силы трое никчемных гопников? А то и вообще — этот парень в одиночку?!

С каким бы удовольствием Томский размозжил проходимцу череп!

Но теперь поздно каяться. Нужно надеяться, молиться и ждать.

Однако час бежал за часом. Козлиноголосый не звонил. И девочки не появлялись.

«Говорил я тебе: деньги отдать проще всего, — безнадежно вздыхал Севка. — Могли бы побороться, могли!»

А няня — та не говорила ничего. Потому что Михаил ее выгнал — достала своими всхлипами и причитаниями. Потом, правда, одумался — она у них с проживанием, свой дом — за тысячу верст от Москвы. Но Акимов успокоил:

— Приютил я Галину Георгиевну, не волнуйся.

— Скажи ей, пусть возвращается, — буркнул Михаил. — Но чтобы сидела в своей комнате тихо, меня не трогала.

Он уже третий день ничего не ел. Но голова кружилась не от голода — от ужаса. И от раскаянья: что хотел, как лучше, но, похоже, своих девчонок — *приговорил.* Хотя мог бы обратиться в полицию. И тогда еще были бы какие-то шансы.

Но все равно продолжал надеяться. Не спускал глаз с городского телефона. Постоянно брал в руки мобильник. То и дело бегал вниз, к почтовому ящику. Почему-то ему казалось: *на его поле,* через компьютерные сети, похитители играть не будут.

Однако письмо явилось — именно по электронной почте.

Одна-единственная строка: широта и долгота. Ящик — явно одноразовый, и отправлено из интернет-кафе (Михаил даже проверять не стал).

Он схватил навигатор. Руки тряслись, и координаты он вбил только с третьей попытки.

— Маршрут построен! — жизнерадостно отозвалась коробулька.

И предложила на выбор два пути, один чуть короче, другой — длиннее. Но оба вели в дальнее Подмосковье.

* * *

Деревенька, куда притащил его навигатор, оказалась полностью мертвой. Дома с выбитыми окнами, несчастная, полуразрушенная церковь. По ухабистой, с огромными ямами, дороге Томский кое-как доехал до околицы. Но дальше началась грязища абсолютно непролазная, и машину пришлось бросить у сломанного щита с надписью «Весе...» (когда-то — вот ирония судьбы! — селеньице называлось «Веселое»).

Сердце колотилось отчаянно, на душе становилось все чернее и чернее. Если его девочки здесь и свободны — почему не бегут навстречу?

Навигатор показывал: осталось триста метров. Михаил, утопая в грязи, спотыкаясь о битый кирпич, припустил бегом.

«Вы приехали!» — иронично сообщил прибор у черной от времени избы-пятистенки.

Те же выбитые окна, сорванные с петель двери.

— Нина? Леночка? — неуверенно произнес Михаил.

Полная тишина в ответ.

Однако здесь совсем недавно теплилась жизнь. Да, в доме свалка, но в углу — керосинка. Половинка заплесневевшего батона. Шоколадные обертки. Пустая коньячная бутылка.

— Кнопка! Ленусик! Где вы?! — отчаянно выкрикнул Миша.

В доме никаких комнат — перекрытия давно выломаны. Но в центре композиции — сразу бросается в глаза! — охотничье ружье. «Беретта». Точно такое, что украли пару месяцев назад у него из квартиры.

Чудовищная, дикая каша. Он чувствовал, что голова сейчас лопнет. Затравленно посмотрел на ружье. Трогать его не стал.

Где девочки? В подвале? Михаил, раскидывая мусор, заметался в поисках люка. Нашел. Дернул за ржавое кольцо. Открыл. Глубокий. Внутри — полная темнота. Взять фонарик он даже не подумал — включил подсветку у телефона.

Спустился в погреб, обошел его. Пустота, вонь, грязь, объедки, какие-то тряпки. Неужели его любимых девчонок держали здесь? И где они, черт возьми, сейчас?!

Вернулся в комнату. Догадался обернуть руку в носовой платок. Только потом взял «Беретту», понюхал дуло. Ружье пахло порохом.

«Почему я поехал один? Почему хотя бы Севку не позвал?!»

Где девочки? Где они, где?! Надо обшаривать соседние дома, всю проклятую деревню!

Михаил отшвырнул ружье ногой, выбрался из погреба. Вышел на порог унылого дома, растерянно огляделся. Огород, в дальнем его конце — железный кунг. Может быть, там?!

Когда-то, наверно, здесь рос картофель, но сейчас пришлось продираться сквозь метровые заросли сорняков. Весь в репьях, в грязи, он добрался до железного домика. И в шаге от него замер. Показалось, в стороне, в высокой траве что-то блеснуло.

Михаил медленно, будто под дулом пистолета, обернулся.

Сначала увидел расшитый беспечными блестками подол вечернего платья. И только потом — свою любимую дочь. Она лежала на земле лицом вниз и не шевелилась.

— Леночка, — тихо произнес Михаил.

В небе беспечно пронеслась парочка ласточек. Вкусно пах клевер.

Отец зажмурился. Сон, кошмар. Или дочка притворяется, разыгрывает его?

— Зайка моя! Это я, папа!

Получилось страшно, хрипло. Он безнадежно, словно на казнь вели, подошел к девочке. Присел на корточки, схватил ее на руки...

Прекрасные зеленые глаза юной принцессы смотрели в небо. В уголке рта запеклась струйка крови. А на расшитом кружевами лифе зияла обожженная порохом дыра.

* * *

Сверхострые психотические состояния всегда потом дают стойкую амнезию.

Но к Михаилу боги не проявили милосердия. Красивые, пустые, обвиняющие глаза дочери навсегда остались с ним.

И мертвая Кнопка всегда будет ему являться.

Тело жены он обнаружил в кунге. Та лежала, свернувшись калачиком, — будто спала.

А проклятые ласточки продолжали чирикать, расчерчивать черными штрихами изумительно белые облака.

Михаил больше не мог думать: о логике, отпечатках, полиции. Ни о чем разумном. Он бегом вернулся к дому. Схватил «Беретту» и принялся палить в небо. Стрелок из него всегда был никакой, но двух птиц убить смог. Тельце одной из ласточек упало рядом с навсегда уснувшей дочкой.

Михаил приставил дуло к подбородку и не сомневался ни секунды, прежде чем нажать на курок. Но выстрела не последовало — он растратил все патроны на глупых птиц.

А дальше — вдруг накатил дикий страх. Показалось: заброшенный двор окружен автоматчиками. Потом взгляд случайно упал под ноги — земля шевелилась, бурлила. Вот оттуда показалась крошечная, полуистлевшая рука, сжала в кулаке осоку. Он отскочил. Но увидел: от покосившегося забора на него наступает еще один, почти разложившийся труп.

Птиц в небе не было — зато обрели голос облака. Они скандировали: «Томский, Томский!»

И Михаил побежал. Через деревню, потом в лес. Он не останавливался всю ночь. На рассвете каким-то чудом оказался у трассы. Там его и подобрали — безумного, грязного.

Он успел сказать: «Деревня «Веселое».

И провалился — в никуда.

* * *

Прошел год

Потерять разум стало лучшим — и единственным — выходом. Когда живешь в тумане — ни горя не ощущаешь, ни тоски, ни проблем. Лишь иногда ему вспоминались две ласточки, что веселились в небе. Дальше — уши разрывал грохот выстрела, в мозг мучительно било эхо, и Томский начинал плакать. Если медбратья замечали — сразу подходили к нему с уколом. И он вновь погружался в кокон. Без мыслей, без боли.

Однако по ночам, когда церберы похрапывали в дежурке, Михаил мог порыдать вволю. И даже попытаться понять: что с ним? Он помнил свист пули, удар отдачи в плечо. Помнил, как сверху, с неба, падала мертвая птица. Помнил глаза птахи — удивленные и печальные. И как самому было горько. Из-за чего? Из-за убитой ласточки? Он заматывался в одеяло, накрывался подушкой, боролся со сном, думал, думал... Все без толку.

На следующее утро Томский вставал — в тоске, в тревоге. Грыз ногти до мяса, раскачивался на койке. Кто он? Зачем здесь?

Михаил припоминал, очень смутно, что прежде в его жизни все было по-другому. Он не шаркал тапками по кафелю. Не мочился в туалете без двери. Не ел из алюминиевой миски.

Но к половине седьмого санитары гнали на уколы, Томский получал свою дозу, и мир снова начинал казаться понятным, разумным. Так *поло-*

жено и хорошо для него, чтобы решетчатые окна. И двери на засовах. И ничего личного — одежда со штемпелями, тумбочки дважды в день проверяют. Ни секунды в одиночестве. Подойдешь в коридоре к окну — сразу бегут:

— А ну, пошел в палату!

Хотя снаружи, за небьющимся стеклом, ничего интересного и нет. Подумаешь — в парке листья облетели. Или дождь стучит в стекла.

А в какой-то момент — кажется, тогда снег уже начал таять — оборвалась и последняя нитка, что связывала с прежней жизнью. Кошмар с ружьем и птицей перестал его мучить, исчез навсегда. И тогда Михаилу разрешили выходить на прогулки.

Он послушно слонялся по больничному парку. Санитары, прежде не сводившие глаз, теперь позволяли ему невиданную роскошь — побыть в одиночестве. К Томскому подходили фигуры, похожие на него, — в казенной одежде, с пустыми глазами. Каждый пытался что-то рассказать, но он никогда не слушал. Молча отворачивался и отходил. Никого не пускал в свой кокон.

Воспоминания продолжали накатывать — теперь приятные. Если перед ним вставало смешное лицо с носом-кнопочкой, он знал: это его жена. Когда видел девочку, зеленоглазого ангела со светлыми локонами, понимал: вот его дочь. Но ему совсем не хотелось их видеть. Зачем?

Его теперь окружали только мужчины. Ни единой дамы-доктора, вместо медсестричек — бугаи-медбратья. Студенточек на практику не водят.

Сплошь неприветливые, отбракованные жизнью самцы.

Томского никто не навещал. Не приглашал к телефону. Не писал ему писем. Хотя поначалу (он смутно помнил) его терзали расспросами, требовали отвечать на глупые тесты, опутывали проводами и снова о чем-то спрашивали. Куда-то возили в наручниках, под конвоем. Держали — по несколько суток — в полностью пустой комнате. Кричали на него.

Но теперь оставили в покое, и Михаил почти с удовольствием соблюдал примитивный, умиротворяющий распорядок: подъем-уколы-завтрак-ничего-уколы-обед-ничего-уколы-ужин-сон.

Кто-то из соседей по палате суетился. Прорывался на другой этаж, к телевизору, ходил на забавы — в тренажерку, в столярный цех. Все чего-то ждали: свиданий, выздоровлений, свободы. А ему было мило и здесь.

Одна беда: в больничном парке он иногда видел ласточек. Не в галлюцинации — настоящих. И снова начинали накатывать страх и тоска. Почему он, собственно, настолько переживает из-за каких-то птиц? Нет, лучше не думать об этом.

...Однажды — кажется, тогда наступило лето — Томский послушным роботом бродил по дорожкам. Смотрел вниз, в голове, в такт шагам, вертелось что-то вроде считалки: плитка с трещинкой, плитка с ямой. Плитка грязная, плитка дырявая...

Неожиданно повеяло ароматом — сладким, давно забытым. Райским. Он растерянно поднял голову — и замер, оборотился в хладный валун.

Метрах в десяти в стороне стоял его лечащий врач. Константин-какой-то, отчества Михаил не помнил. А рядом с ним — не бредит ли он? — постукивала каблучком женщина. То была не размытая фигура из рая, но настоящая дама. Из плоти и крови. Очень красивая. Одета в зеленый, словно трава, костюм. Только раздражало, что она по плитке все колотила и колотила острым своим каблучком. Тревожный, гулкий звук — будто дрелью в висок.

— Томский! — резко выкрикнул врач. — Подойди.

Михаил побрел к ним. Плитка с трещинкой, плитка с ямой... Кто оно, это прекрасное создание? Не жена. Работали вместе? Или он ее любил?

— Миша, здравствуй! — томным грудным голосом произнесла женщина. — Ты меня узнаешь?

Ее голос он когда-то слышал, определенно. А вот где видел? Ну конечно, все просто! Однажды проходил в больничном холле мимо телевизора. И именно лицо этой женщины улыбалось с экрана. Только тогда она выглядела еще красивее.

Как называют таких людей?

Нужное слово всплыло, Михаил пробормотал:

— Вы артистка?

Она довольно улыбнулась:

— Да, в телевизоре я бываю. Но мы с тобой знакомы лично.

— Не помню, — равнодушно пожал плечами он.

Женщина приблизилась к нему, промурлыкала:

— Мы с тобой знакомы очень близко.

Томский отпрянул.

— Мы жили с тобой в одной квартире! — продолжала наступать она. — Спали в одной постели, черт возьми!

Михаил опустил голову и сделал еще один шаг назад.

— Хорошо вы его обкололи, — она обернулась к доктору.

Тот поморщился. Отвечать ей не стал. А ему строго велел:

— Все, Миша. Иди, гуляй дальше.

Томский и эту команду исполнил. Когда уходил, не обернулся. Сделал полный привычный круг. Плитка с трещинкой, плитка с ямой... Когда возвращался, увидел: женщина и лечащий врач по-прежнему стоят рядом и что-то горячо обсуждают.

Ну и ладно. Их дело.

Вечером он послушно поднялся с койки после облетевшей отделение команды: «Уколы!»

Отстоял перед процедурным кабинетом очередь. Но медбрат равнодушно велел:

— Гуляй обратно. Тебе на сегодня все отменили.

И утром опять колоть не стали. И таблетки принесли какие-то совсем другие. Михаил равнодушно их выпил.

Никаких изменений он не чувствовал.

Но ночью ему впервые приснилась Кнопка. Нескладная, лохматая, в старых трениках. Почему-то с рюмахой водки (хотя всегда только дамские напитки пила). А тут, будто мужик, — лихо жахнула. Отерла губы истрепанным рукавом. Усмехнулась:

— Ну че, Миш? За помин твоей души пью.

И растаяла.

А он проснулся взволнованный, злой. Неужели опять его начнет мучить *мозаика?* Бесконечные цветные кусочки, что никак не могут сложиться в картинку?..

На утренний укол бежал впереди всех, но медбрат отогнал:

— Не ходи сюда больше, Томский. Тебе не назначено.

— Зуб даю: скоро буянить начнет, — уверенно молвил его напарник.

— Ну, к кровати привяжем. Делов-то! — отмахнулся первый.

Михаил посмотрел растерянно. Он когда-то был буйным? Однако сейчас все его существо переполняла не агрессия — страх. И беспомощность. Да еще детали он стал примечать, какие раньше не видел. Решетки на окнах, кодовые замки на дверях — это все в психушке положено, ясное дело. Но почему в отделении всегда дежурят двое в полицейской форме? Почему у санитаров на поясах дубинки, наручники? А если у кого вдруг появляется мобильник — сразу шмон. Он в какой-то спецбольнице? Но почему? За что?

Михаил сжал ладонями лоб. В голове снова чирикали ласточки. И теперь Томский наконец понял: он стрелял в птичек, потому что они уносили в небо души его любимых жены и дочери. И ему казалось: если он выстрелит, ему удастся вернуть их обратно на землю.

Вспомнил Томский и то, что было дальше.

Его девочки все равно остались мертвыми. А он бежал сквозь ночной лес, ветки били в лицо, ноги засасывало болото. Куда он спешил?

«Я бежал искать их убийц», — выскочила новая мысль.

— Как я мог их найти? — печально усмехнулся — сейчас! — душевнобольной Томский.

И внезапно в голове щелкнуло:

— *Ты можешь все. Ты ведь компьютерный бог.*

— Я — компьютерный бог, — повторил он вслух.

— О, е! — хмуро буркнули с соседней койки. — Мало нам Наполеонов!

Михаил отвернулся.

Как только позволили, пошел в парк. Притворялся, будто, как обычно, пересчитывает плитки, пребывает в анабиозе. Но сегодня происходило с ним совсем другое, ужасное. Прежний милый мир распадался на куски, рушился. Воспоминания навалились, придавили бетонной плитой.

Фильм пока шел хаотично: урок физики в школе... какая-то олимпиада, но не спортивная, все (и он) сидят за партами, грызут ручки. А потом вдруг — кроха дочка на руках. Жена (лицо обиженное) спасает подгорающую яичницу.

А сколько новых деталей он теперь видел, сколько запахов ощущал! И еще отчетливо слышал: по его пятам, нимало не скрываясь, шагает дюжий санитар. Интересно, за ним на прогулке и раньше ходили, а он не замечал? Или только сегодня начали?

Плитка с трещинкой, плитка с ямой. Бог мой, ну и бред! Ты превратился в растение, Томский. Ты не знаешь, какое сегодня число и даже какой год. Ты когда-то был... Да, программистом. «Лучшим в стране».

Смех. А, и еще ты строил дом. Который должен был стать самым удивительным домом в мире. Ха-ха-ха.

И еще вдруг вспомнилось совершенное, точеное, лукавое личико дочери, ее нежные ручки, голосок-колокольчик: «Папочка, я так тебя люблю!»

Михаил застонал. Пойти к Константину-какому-то, потребовать: пусть опять назначит уколы. Так легче.

Но вот доктор сам идет ему навстречу — будто по заказу. А рядом с ним семенит вчерашняя красавица. Сегодня без каблучков пришла, в балетках.

— Томский, сюда! — привычно командным голосом позвал врач.

А дамочка улыбается:

— Миша, я очень, очень рада тсбя видеть.

Его снова накрыл страх. Но не такой, как вчера. Не всеобъемлющий. Вспомнился *лабиринт ужасов,* куда водили в детстве. Когда боязно, но все равно хочется узнать, что там, за бархатной черной шторой.

Женщина отвернулась от него к доктору, сложила молитвенно руки:

— Константин Юрьевич, ну пожалуйста! Позвольте нам поговорить! Мишенька не будет на меня нападать, я вам обещаю!

А врач плечами пожимает:

— Да не получится у вас разговора. Что я, не вижу? У него в голове пока полный хаос. Старые препараты отменили, к новым он еще не привык.

— Но глазки, смотрите, совсем другие! — сюсюкая, будто про ребенка, произнесла женщина.

И тут Михаил вспомнил. Идеальные домашние костюмчики. Накрахмаленные салфетки. Вечно милая улыбка. Она не просто из телевизора, эта женщина. Это Настя. Его первая... нет, не любовь. И не жена. Но жениться на ней он когда-то хотел, это да...

— Мишенька, пойдем, мой милый. — Она смело схватила его под руку. — Пойдем. Погуляем по парку.

А Константин, который оказался Юрьевичем, щелкнул пальцами — так он всегда призывал санитаров. И шаги за их спиной загрохотали совсем уж рядом.

Настя поморщилась, но ничего не сказала. Только понизила голос, зашептала ему в ухо почти интимно:

— Миш, мне правда ужасно жаль. Ты всегда был надежный, правильный, добрый... и вдруг такое. Я до сих пор поверить не могу.

О чем она говорит?

— Настя, — очень медленно начал он. — Этот доктор, Константин, как его, прав. У меня в голове хаос. Помоги мне разобраться. Я вообще ничего не помню. Почему мы с тобой расстались? Я тебя обидел? Или ты сама от меня ушла?

— Томский, — фыркнула она. — Со мной-то чего косить? Я своя, ментам тебя не сдам. Или ты правда псих?

Недавно был уверен: он сумасшедший, за решетками ему лучше. А сейчас отчаянно захотелось ударить ее по лицу за обидное слово.

Томский — с немалым трудом — удержался от порыва. Повторил:

— Пожалуйста, скажи. Почему мы с тобой разошлись?

— Ладно. — Ее лицо окаменело. — Скажу. Ты меня выгнал, когда встретил свою детдомовку.

— Да. — Лицо Михаила просветлело. — Настя, спасибо! Я вспомнил. Рынок, велосипеды, поход тот дурацкий...

Обернулся к женщине, молвил жалобно:

— Но я не выгонял тебя. И не обижал. Попросил уйти по-хорошему...

— Да, Томский, ты совсем деградировал. Даже говоришь, как детсадовец, — поморщилась женщина. — Зря я, видно, с тобой связалась.

И покосилась на часы.

Неужели уйдет?

— Нет, Настя, подожди, — торопливо произнес он. — Не бросай меня. Это ведь ты сказала, чтобы мне уколы больше не делали?

Она усмехнулась:

— Не сказала, а заплатила твоему врачу. Чтобы он тебя в нормальное состояние привел. Но теперь сомневаюсь, что это вообще возможно.

— Я... я... мне легче, Настя! Я уже многое вспомнил. Но не все. Помоги мне, пожалуйста! Расскажи: что случилось? Почему я здесь? Я сделал что-то плохое?

— Ты чего, совсем меня за дуру держишь? — Она смотрела на него, открыв рот.

Он повысил голос:

— Я тебе вопрос задал. Давай, отвечай. Ну?!

Санитар в полпрыжка нагнал, схватил Михаила за предплечье.

— Не трогай его! — рявкнула Настя. — У нас все нормально.

Однако амбал все равно приподнял Михаила за грудки, рявкнул:

— Томский! Вести себя вежливо! А то в карцер сядешь!

Настины глаза сузились, рот злобно выплюнул:

— Я сказала тебе: отвали!

И санитар послушался, отошел.

Михаил тоже сбавил тон, произнес грустно:

— Я знаешь, что помню? Раньше ты всегда такая добрая была. Ласковая.

Женщина хмыкнула:

— Когда мужик хороший рядом, все ласковые. Но ты ведь меня не просто выгнал — еще будто порчу наслал. Замуж теперь никто не берет. Сама кручусь. Зато живая. — Подмигнула задорно.

— Не понимаю, про что ты сейчас говоришь, — наморщил лоб он.

— Нет, ну прямо Штирлиц! На допросе у Мюллера. — Она смотрела на него с искренним восхищением.

— Настя, не мучай меня, пожалуйста, — беспомощно попросил мужчина.

— Елки-палки, то ли ты дурак, то ли я овца. Ладно. Скажи мне — за что ты здесь?

— Не знаю.

Встретил ее насмешливый взгляд, торопливо поправился:

— Не то что совсем не знаю. Сейчас, когда лекарства отменили, начал понимать... я увидел свою жену и дочь, мертвых. Сошел с ума. И попал сюда...

— В спецпсихушку. На особый режим, — насмешливо улыбнулась Настя.

— А я не замечал, что здесь особый режим, — печально улыбнулся он. — Думал, обычная палата номер шесть... Только сегодня понимать начал, что больница какая-то странная.

— Станиславский бы твердо сказал: «Не верю».

Его руки сжались в кулаки.

— Говори, — прохрипел Томский.

— Ладно, — пожала плечами она. — Хочешь услышать — слушай. Жену и дочку убил ты сам.

— Как? — выдохнул он.

Настя ответила с удовольствием:

— Вот этими изящными руками. Руками компьютерного бога. Дочку застрелил из ружья. А у жены твоей больное сердце было. Она как увидела, что ты натворил, — сразу обширный инфаркт.

— Я убил свою дочку. — Он будто пробовал слова на вкус. — Я? Леночку? Настя, как ты можешь такое говорить? Я любил ее больше жизни.

Михаил опустился на землю. Женщина вздохнула. Покопалась в сумочке, извлекла газету. Постелила себе. Села рядом. Санитар застыл за их спинами.

— Это доказано и бесспорно, — сухо произнесла Анастасия. — Следствие закончено, суд состоялся. Апелляцию твой адвокат подавать не стал.

— Но я не мог ее убить... — пробормотал Михаил. — Я помню... какую-то деревню заброшенную. Черт-те где от Москвы. Подвал там был, в нем объедки... Кнопка в железном кунге лежала. Лена во дворе, на траве. Я ехал туда по навигатору. А почему они там были?.. Не понимаю, не помню!

— Ладно. Тебя послушать — самой с ума спятить. Я лучше тебе все расскажу. Как на самом деле было, — терпеливо произнесла Настя. — У вас с женой за день до трагедии случился страшный скандал. Нина твоя хотела развестись и требовала денег, а ты орал, что ни копейки не дашь. И грозился убить ее. Ударил. Тогда она схватила дочку, выбросила все телефоны, чтоб оборвать «хвост», и сбежала. Далеко, в глушь. Но ты все равно ее нашел. В дальнем Подмосковье. В деревне. Явился туда с ружьем. Убивать, может, и не хотел — пугал просто. А рука дрогнула.

Больше всего Томскому сейчас хотелось схватить Анастасию за тонкое, с дрожащей синей жилкой, горло и задушить — чтобы прекратила говорить ужасные вещи.

Но он уже достаточно пришел в себя, чтобы понимать: тогда — сразу карцер. И новые уколы. И ни малейшего шанса докопаться до правды. Потому огромным усилием воли он взял себя в руки и прохрипел:

— Кто тебе все это рассказал?

Настя не колебалась ни секунды:

— Суд, суд, Мишенька! Хотя тебя и признали невменяемым, суд все равно был. И я там присутствовала. Из любопытства. На закрытый процесс тоже можно пробраться.

Михаил чувствовал, что задыхается:

— И кто... кто против меня... свидетельствовал?

— Во-первых, нянька, — пожала плечами Настя. — Галина какая-то, не помню. Деревенский такой говорок.

— Нянька, нянька... — Он судорожно вспоминал. — Ну да. Галина Георгиевна. Жила у нас. Знаешь, как плакала, когда девочки пропали... От телефона не отходила... мы с ней все ждали, что нам позвонят... позвонят... ну, эти...

Просветленно взглянул на Настю:

— Я вспомнил! За Нину с Леночкой требовали выкуп. Пять миллионов. И я собрал эти деньги. И отнес в ячейку, на вокзал!

— Миш, — разочарованно вздохнула Настя. — Ну хватит цирка-то уже! И каяться поздно. Убил. Уже случилось. Довели. Или случайно. Что теперь поделаешь.

Он хотел крикнуть ей резкое. Но вместо этого — никак от себя не ожидал — вдруг заплакал. Бурно, навзрыд. Словно младенец.

Санитар немедленно подскочил, поднял его с земли — легко, словно пушинку. Поволок в корпус.

Настя осталась в парке. Михаил пытался упираться, насколько это было возможно в дюжих лапищах санитара. Вопил:

— Настя! Не уходи! Не бросай меня!

С ужасом понимал: он не может остановить поток слез. И ноги сами собой топают, как у ребенка в истерике. И даже речь непонятным образом превратилась в картавую:

— Не бласай, не бласай! Позалуста!

Константин-какой-то (Миша снова забыл его отчество) уже бежал навстречу, на ходу отдавал указания медбрату:

— Укол готовь, быстро!

— Нет, нет! Не колите! Позалуста! Я боюсь!

Причем мозг — очень здраво, очень трезво — осознавал: «Дьявол, что за бред я несу! Почему я не могу сказать нормально: «Хватит меня закалывать! Я здоров! Я почти все вспомнил! Сам!»

Но язык не повиновался, продолжал нести чушь:

— Не делайте мне больно! Помогите! Мама, мамочка!

Рыдал, бился, пытался царапать — сначала санитара, потом себя.

А в голове, будто метрономом, стучало: «Я не убивал! Не убивал! Не убивал!»

И повторяло, монотонно, навязчиво — до тех пор, пока после укола он не провалился в тяжелую мглу.

* * *

Михаил проспал почти сутки и на следующее утро проснулся совсем разбитым. В голове туман. А еще — дикий страх. Что-то случилось вчера. Что-то очень плохое случи...

Он рывком сел на постели. Пробормотал: «Я убил свою дочь».

Нет. Даже если он псих, тяжелый, неизлечимый, подобное все равно невозможно.

В голове шумело, руки дрожали. Вчерашнее лекарство его оглушило, притупило боль. Однако воспоминаний не стерло. И *мозаика* продолжала складываться — все быстрее, все отчетливее... Он чувствовал себя реставратором. В его мастерской — картина. Нужно установить ее подлинного автора. И вот он снимает с нее век за веком, слой за слоем, пока не проступает самое первое, истинное изображение.

Его девочки пошли в Большой театр и оттуда не вернулись. Похититель позвонил ему той же ночью. Михаил и голос вспомнил: глумливый, женственный. Прибаутки, хиханьки. И требование: пять миллионов долларов.

Севка — его друг и партнер по бизнесу — уговаривал идти в полицию. Или своими силами разбираться.

Перечислял тех, кто *мог* похитить. Убеждал: если платишь, заложников все равно убивают. Чтобы свидетелей не оставлять.

Но Михаил его не послушал. Поступил по-своему. И ошибся.

А дальше случилось нечто нелепое, странное.

Томский никак не мог вспомнить. В отчаянии со всей силы укусил себя за руку. Потекла кровь.

— Придурок, — приговорил сосед по койке.

Михаил отвернулся от него, начал вытирать руку о грязную простынь — и вдруг мысль пришла.

Он не просто так отправился в заброшенную деревню с убийственным названием «Веселое».

Ему прислали координаты места, где находились жена и дочь. Но зачем, если его близкие все равно были мертвы?!

И еще: охотничья «Беретта». По виду очень похожая на ту, что у него недавно украли из квартиры.

До того момента, как он нашел трупы жены и дочери, Томский полностью осознавал реальность. И тогда, в Веселом, сразу насторожился: зачем посреди разгромленного дома — новенькое ружье?

Он не собирался его касаться. А когда нюхал дуло — не пахнет ли порохом? — обернул руку носовым платком.

Но потом, когда Михаил увидел тела своих любимых, ему стало все равно. И он схватил ружье в руки.

Томский, да ты не просто сумасшедший!

Ты — полный, беспросветный идиот.

Сопоставляем факты. Что там Настя рассказывала про суд? Нянька на нем показала, что они с женой скандалили и собирались разводиться? Что он Кнопку ударил и что она с дочкой сбежала из дома?

Сто процентов: простушка Галина Георгиевна сама бы до такого не додумалась. Кто-то подсказал.

Поворачиваем кубик Рубика в последний раз и получаем: Сева. Его партнер по бизнесу и лучший друг. Который его здесь ни разу не навестил. Никак не помог. И — наверно! — подтвердил на суде показания няньки. Да еще от себя добавил.

Что наплел он? Тоже — что Томский избивал любимую жену? Поднимал руку на дочь?!

Но Акимов мог сказать и *правду*. Он знал психиатра, которого Томский время от времени посещал. У него хранились рецепты на антидепрессанты, которые Михаилу иногда требовалось принимать. У него в телефоне была фотография Леночки — неделя от роду, заплаканной, грязной, исхудавшей, с исцарапанным личиком. Говорил, хранит на память об «исторических трех днях», когда великий программист работал нянькой.

— Значит, это Севка... — подавленно пробормотал программист.

Сколько же прошло времени?

Когда случилась беда, только начиналось лето. И сейчас листья свеженькие, нежно-зеленые. Год, получается, целый прошел? Или два?!

Он откинулся обессиленно на постели. Лекарства, пребывание в *дурке* свое дело сделали: думать отвык. Голова раскалывалась нещадно.

Глаза слипались. Вот оно, забытье — совсем рядом, искушает, манит.

Однако Томский — сквозь отчаяние, сквозь боль — продолжал вспоминать.

Как относил дипломат с деньгами на вокзал. Как долго и безнадежно ждал звонка от похитителей. Как отчаянно гнал в заброшенную деревню.

Помнил, как спускался в подвал. Шел по огороду. Увидел своих любимых — мертвых. И как стрелял по ласточкам — тоже помнил. А дальше — все, одни обрывки. Вот он, в кромешной тьме, мчится по лесу, и ветки бьют в лицо... выбегает на шоссе, останавливает машину. Зачем-то ударяет шофера под дых, рвется за руль. Полиция, хватают, вяжут. Он вырывается, кричит. Везут в больницу. Вопросы. Уколы. Снова вопросы... Куда-то опять везут. И потом — пустота. Кокон. В котором он просидел бы всю жизнь — не явись в больницу Настя.

Зачем ей понадобилось приводить его в чувство?

Плевать зачем.

Только бы она не испугалась его вчерашней истерики! Только бы пришла опять!

Завтракать Томский не стал, прилип лбом к стеклу. Глаз не сводил с дорожки, что вела к его корпусу.

Ладную фигурку завидел издали, бросился к санитарам:

— Можно в парк?

Амбал отстегнул от пояса наручники, защелкнул на его запястьях. Буркнул:

— Так теперь пойдешь. Доверия тебе нет. — И кончиком дубинки подтолкнул: — Ну, шагай.

...Настя посмотрела брезгливо. Он и сам — впервые — увидел себя со стороны: грязная пижама, небритый, наручники, тапки на босу ногу.

Бросила ему, словно кость:

— Привет.

Саркастически добавила:

— Что сегодня в программе? Рыдаем? Буйствуем? В несознанку уходим?

Он постарался, чтоб голос звучал спокойно и твердо:

— Давай просто поговорим. Спокойно и по делу.

Женщина взглянула недоверчиво:

— Давай, коли не шутишь. — И похвалила: — Взгляд у тебя почти нормальный... А я, представь, всю ночь не спала. Никак поверить не могу: неужели ты правда *не знал,* что их убил?

Он сжал ладони. Ногти больно, до крови, вонзились в кожу. В носу защипало. Вдруг он опять не удержится? Заревет белугой? Нет, надо держаться. «Я здоров. Поняли, вы, все?!»

— Настя, — произнес хрипло. — «Не знал» — неправильное слово. Я не делал этого.

— Но...

— Дослушай. Да, я психопат. Меня часто раздражают люди. Мне, бывало, хотелось кого-нибудь прикончить. И в отличие от вас, нормальных, я могу это сделать. Но Лена — моя любимая дочь. Она совершенство. Я ее боготворил.

— Хорошо, — спокойно отозвалась Анастасия. — Тогда объясни. Допустим, ты правда не убивал. Приехал, увидел их мертвыми. Сначала у тебя был посттравматический стресс. Из него ты скатился в психоз. Но следствие все равно было, тебя допрашивали. По крайней мере, пытались. Почему ты не защищался? Почему даже не упомянул про похищение?

Михаил молчал. Голова болела отчаянно. В носу опять кололо, в горле булькали всхлипы. Он теперь, что ли, всегда будет в истерики впадать?

И, пока собственный организм не вышел из-под контроля, мужчина торопливо произнес:

— Я не знаю.

И выплюнул мысль, которая долбилась в висок с утра:

— Может, меня специально сразу стали *закалывать?* Давать такие лекарства, чтобы я ничего по делу сказать не мог? Или я говорил, но меня просто не слушали? Потому что за приговор мне *заплатили?*

— Ну да. Вселенский заговор вокруг архиважной персоны Томского, — хмыкнула она.

Легкие разрывали рыдания. Но он тем не менее успел задать новый вопрос:

— Кто был свидетелем обвинения?

— Я тебе уже говорила. Твое ближайшее окружение. Сева Акимов и няня. Оба подтверждают: у вас с женой был скандал. Ты грозился ее убить. Ударил. Вел себя неадекватно. И она вместе с дочкой сбежала... Ну, и вообще, Севка с тобой со школы дружит. Он сказал: ты всегда был с причудами. И у психиатра наблюдался. И на дочку мог наорать ни за что.

— Ясно, ясно, ясно, ясно. — Губы Михаила дрожали, он тщетно пытался их урезонить. Чувствовал: очередной истерический припадок — совсем рядом. Надо успеть, успеть.

И он заговорил — еще быстрее, глотая слова:

— Севка... однажды сказал мне... давно: «Томский. Тебе можно быть психом, пока ты гений. Твори, что хочешь, я все стерплю». И я творил, что хотел. А он терпел. Помогал мне. Нянчился со мной. Но потом я перестал быть гением. Перестал приносить ему деньги. И тогда он... он меня...

— Теория заговора, — насмешливо молвила Настя.

— Смейся, сколько хочешь! — выкрикнул Томский. — Но я вспоминаю. Вспоминаю все больше. И могу тебе сказать: у меня есть запись разговоров с похитителем. И видео с вокзальной камеры наблюдения. Как я дипломат с деньгами в ячейку кладу. А похититель его забирает.

— Слушай, Томский, — усмехнулась Настена. — А ты меня заинтриговал. Где все твои сокровища? Я проверю.

И Михаил уже рот открыл, чтобы сказать ей логин и пароль от резервного электронного ящика, но опоздал. Накрыло снова. Повторилось, как в прошлый раз: санитар, сюсюканье, плач, успокаивающий укол, долгий сон.

Когда проснулся утром, первым делом подумал: «До чего перед Настькой стыдно».

Но сразу — на фоне ставшей привычной головной боли — пришла и новая мысль: «Хорошо, что я ей координаты сказать не успел. С какой стати? Это пусть психи все карты сразу открывают. А я — нормальный. И партию свою буду разыгрывать осторожно и хитро. Хватит, один раз в ловушку угодил. Чуть на всю жизнь в дурдоме не остался».

* * *

Настя Кондрашова ненавидела Мишку Томского от души. Почти три года на него убила! Кормила, обхаживала, создавала уют. Служила украшением стола, поддерживала беседы. Терпела капризы — Мишенька и посреди ночи мог разбудить, если вдруг поболтать возжелает. Покорно сносила и все прочие причуды: между вилкой и ножом на столе должно быть расстояние строго полтора сантиметра, в кабинет — святилище! — входить запрещено под страхом расстрела.

Она все понимала, терпела: рядом все-таки гений. Ждала грядущей всемирной славы и баснословных доходов. А подлый человек вместо благодарности и долгожданного колечка на пальчик ее просто выгнал.

Настя, как положено, сначала хотела предателя убить. Потом, в отчаянии, рыдала. Когда немного полегчало, поклялась себе: она обязательно затмит Мишку Томского. Собственную карьеру сделает, благо имеются и ум, и красота, и смекалка. Ну и, разумеется, она найдет себе мужа — лучше, перспективнее и богаче проклятого программиста во сто крат.

Почти во всем, что касалось работы, Настины планы сбылись.

Сначала она просто пробралась в перспективное место, на телевидение. Годик побегала секретаршей, потом стала младшим редактором, дослужилась до старшего, а потом наконец и в кадр сумела попасть. До своей передачи еще не доросла, но делала репортажи (и, соответственно, мелькала на экране) частенько. Во всех барах в «Останкино» с ней здоровались, как со своей. Она посещала престижный спортзал, делала в дорогом салоне уколы гиалуронки и ездила в пафосные итальянские санатории на детокс.

А вот с личной жизнью не получалось ничего. Видно, настолько ранил Настю тогда, много лет назад, разрыв с программистом, что болячка никак не хотела заживать. Тавро. Вытравливать бесполезно.

«У тебя слишком неуверенный взгляд», — упрекнул ее однажды кто-то из мимолетных любовников.

Настя ни капельки не хотела знать, как живет ее бывший, но обязательно находились доброхоты, кто ей докладывал. О том, что у Томского, гада, жизнь складывалась просто прелестно. Своими примитивными компьютерными игрушками одурманил всю страну, загребал кучу денег. И с убогой детдомовкой жил душа в душу, родили дочку-красавицу, дом с видом на море взялись строить.

А Настя — особенно в минуты раздражения или очередных неудач в личной жизни — искренне насылала на счастливого программиста самые страшные проклятия.

Томский (когда жили вместе) однажды обмолвился: в порчу и сглаз он не верит.

Однако зря не верил. Проклинала, проклинала его Настя — потихоньку и добилась результата.

Сначала игрушечки Томского стали появляться на рынке все реже. Потом Настя опытным глазом узрела: против него целую кампанию развернули. Антирекламную. А дальше случилось совсем страшное. Томского подобрали на трассе, в ста километрах от Москвы. Рано утром. В изорванной одежде, с безумным взглядом. Он остановил машину и пытался убить водителя. А в деревне неподалеку обнаружили его мертвых жену и дочь.

Сначала в новостях говорили: убийцы пока не найдены, а у великого программиста посттравматическое стрессовое расстройство, особый тип психоза с красивым названием commotio animi — то бишь потрясение души.

Объяснить Томский ничего не мог, вел себя агрессивно, бросался на людей, пытался разбить голову о стену — и потому сразу оказался в психушке. Местной.

Настя подсуетилась и получила задание (ох, приятно!) сделать интервью с лечащим врачом своего бывшего. Взяла оператора и махнула за сто километров от Москвы.

Подмосковная больничка оказалась убогой, провинциальный доктор страшно важничал, что дает интервью столичному телевидению. «Как специалист, я свидетельствую: сверхострые психотические состояния длятся не больше двух суток. А дальше Томский придет в себя и сможет сам объяснить, что случилось»...

Настя, конечно, решила остаться и подождать. Хоть день, хоть даже пять.

Однако дальше пошли непонятности.

На вторые сутки в провинциальный городок явились полиция и «Скорая помощь» с московскими номерами. Общаться с прессой вновь прибывшие категорически не желали. Давешний словоохотливый доктор теперь тоже смотрел испуганно и говорил, что комментариев не дает.

Настя только и узнала, что Михаила забрали в Москву, на судебно-психиатрическую экспертизу. И самое поразительное: теперь говорили, он в уме повредился не от того, что близких мертвыми увидел. А якобы он сам убийца и есть.

Кондрашова опешила, не поверила. Томский, конечно, с причудами и вообще подлец. Но убивать? Беззащитного ребенка?! Своего собственного?!

Даже решила — дабы подстегнуть собственную карьеру — провести журналистское расследование. Первое в жизни. Но только ничего не вышло из затеи. Пока длилась психиатрическая экспертиза, к Томскому не пускали, полиция комментариев не давала. Настя кинулась к Севе — Мишкиному другу, которого знала прекрасно. Тот пригласил ее в гости, напоил кофе, наговорил комплиментов, но вещать на камеру категорически отказался. А не для записи — пробросил. Что Томский (всегда немного странный) в последние годы чудил все больше. Частенько впадал в депрессию, пил таблетки. С детдомовкой своей ссорился. Особенно в последнее время, когда в бизнесе трудности, а та постоянно денег и денег требовала. «Мишка ведь еще в школе у психиатра наблюдался. И в армию его не взяли из-за диагноза — настоящего. А тут эта Нина. Мозг ему выносила, требовала постоянно: рестораны, курорты, бриллианты. Вот и не выдержал человек...»

— Но за что он дочку-то убил? — не понимала Настя.

— А это что, в первый раз, что ли? — пожал плечами Сева.

Встретил недоумевающий взгляд, объяснил:

— Он девочку первый раз едва не угробил, когда из роддома забрал. Хлебом пытался кормить, подгузник не сменил ни разу. И вообще: Томский и дети — понятия несовместимые. Разозлила, видно, его чем-то.

— Но, может быть, Миша поправится? — с надеждой произнесла Кондрашова.

— Ох, Настенька, — горько вздохнул Сева. — Боюсь, что мы его потеряли навсегда.

Томского и правда признали не просто «лицом с психическим расстройством», но невменяемым.

Суд по делу прошел стремительно.

Судья, не слишком вникая в детали, согласился с версией прокурора, что Леночку Томскую в состоянии умопомрачения убил отец, и отправил программиста на принудительное лечение.

Настя могла бы торжествовать. Враг, безо всяких усилий с ее стороны, уничтожен.

Но торжества не было.

Раньше вспоминала Мишаню, только если случался собственный какой-то успех. Радовалась: «Вот тебе, гад! Получи!»

А теперь думала о нем каждый день.

Не представляла она Томского — худого, нескладного, умного — невменяемым и буйным. Среди тяжелых психов. И не могла поверить, что он останется на всю жизнь в дурдоме. И она его больше никогда не увидит.

В конце концов не выдержала. Решила навести справки.

Выяснила: спецпсихушка — это, понятно, не обычная больница. Но и не тюрьма. Пробраться туда, пообщаться с пациентом куда легче, чем получить свидание на зоне. И назначенное судом принудительное лечение — тоже куда менее страшно, чем реальный срок. У сидельца всегда есть шанс поправиться и выйти на свободу.

Надо ей повидаться с Мишкой. В глаза ему посмотреть, попробовать понять: зачем он натворил такое. А вдруг Томский больше не буйный? И согласится ей интервью дать? Начальство в полный восторг придет.

...Поначалу все шло легко, если не сказать банально. За небольшую взятку она проникла в больницу. За сумму чуть побольше с ней согласился встретиться лечащий врач Томского Константин Юрьевич. Оказался он дядькой жадным, хватким. Не чинясь, поинтересовался: есть ли у Кондрашовой деньги? Настя решительно отозвалась: «На нужное дело всегда найду».

Ну, доктор и рубанул открытым текстом: на данный момент Томский — не человек. Овощ. «Помните, у писателя Айтматова были манкурты?»

— Но невменяемым — как он тут у нас числится — я бы его не назвал. У меня, знаете, опыт большой, и я вам ответственно заявляю: неизлечимых среди моих психов — от силы процентов двадцать. Томский в их число не входит.

— То есть он *косит?* — нахмурилась Настя.

— Нет, — снисходительно фыркнул врач, — таких деятелей я сразу выявляю — и в цугундер. С программистом все сложнее. У него шизофренийка-то имеется. Но некритичная. Таблеточками, когда надо, подкормить, нормальные условия жизни создать — никто ничего и не заметит. Но тут случается у человека стресс. То ли сам убил — на аффекте. То ли не убивал — увидел трупы. Да кого: жены, дочки! В любом случае для его психики слабой — полный шок. Его бы потихоньку, бережно из этого состояния вывести, а делали — все наоборот.

— Не понимаю, — пробормотала Настя.

— Да *закололи* его, оглушили. Мозг вырубили. Сразу начали убойные препараты давать.

— А... зачем? — осторожно поинтересовалась она.

— Ну, этого я вам, милая девушка, сказать не могу, — усмехнулся доктор.

— А предположить?

— Судить действия коллег права не имею, — хмыкнул доктор. — Но *невменяемый* убийца — это всегда очень удобно.

— Особенно если убийца — кто-то другой, — подхватила Анастасия.

— Я вам такого не говорил, — поспешно открестился доктор. Потер ладони. Молвил: — Вы ко мне пришли спросить о нынешнем состоянии гражданина Томского. Мой ответ: сейчас он эскарго.

— Как?

— Засел, будто улитка, в раковине. Хорошо ему — ни проблем, ни хлопот, ни забот. Ест, пьет, дрыхнет.

— А можно его, — загорелась Настя, — из этой раковины выковырнуть?

— Теоретически — да. Только зачем? — Доктор взглянул на нее лукаво. — Так у меня с ним никаких хлопот, самый спокойный пациент, на уколы в первых рядах бежит...

— Сколько? — выпалила она.

— Ой, ну зачем вслух-то? — укорил доктор.

И написал цифру на бумажке.

Насте показалось много. Но торговаться она не стала. Раз ввязалась в историю, нужно идти до конца. Все равно ведь с овощем интервью не сделаешь. И торжествовать над ним тоже не получится.

— Отлично, — повеселел доктор, когда Настя кивнула, — тогда прямо сегодня начинаем эксперимент. Но предупреждаю сразу: здоровым человеком ваш Томский уже никогда не будет. И тихим шизофреником — как был раньше — тоже не останется. После года такой терапии, как мы ему тут устроили, мозг поражен необратимо. Апатию снимем — что-то другое выскочит. Агрессия. Истерики. Мания преследования. Бред ревности. Вариантов масса. Может, лучше не городить огород? Пусть все будет как будет.

— Нет, — упрямо помотала она головой. — Давайте попробуем.

— Дело ваше. Только потом не жалуйтесь, — равнодушно предостерег доктор.

Эксперимент удался.

Томский преображался на глазах.

Но Настя с каждым днем все больше и больше терялась. И не понимала: чего она в итоге добилась?

Про интервью для телевидения можно даже не заикаться, Михаил ее сразу пошлет. Торжествовать над ним? Не хотелось. Да, Томский предал ее. Но высшие силы его уже покарали. Теперь еще ей, что ли, плясать на его костях? Нет, этого она делать не станет. Но что тогда? Помогать Михаилу добиться справедливости? С какой стати? У нее собственных забот выше крыши.

Вот и получалось — только деньги зря потратила.

Ладно, будем считать, впервые в жизни она совершила благотворительный поступок. Дала Мишке шанс. А дальше — пусть он делает что хочет. Возвращает себе доброе имя и деньги. Мстит. Ищет новую жену.

Она сходит в клинику последний раз — попрощаться. И на этом общение с Томским прекратит.

Однако оделась, причесалась, накрасилась для визита особенно тщательно. Пока ехала, готовила речь: мол, рада была тебя повидать и помочь, но больше никаких дел с тобой вести не желаю.

...Бедная Настя никак не могла привыкнуть, что Томский теперь каждый день *другой*.

Сегодня он ей и слова не дал вымолвить, раздраженно рявкнул:

— Чего так поздно пришла?

Он побрился. Сменил грязную пижаму на синюю робу. Выглядел собранным, деловитым. Почти нормальным. Только глаза слезились, руки сильно дрожали. И губами противно причмокивал, будто у него во рту съемный протез мешается.

Сухо, тоном начальника, велел Насте:

— Дай санитару денег, пусть отвалит.

— Так можно?

— Тысяча рублей, — поморщился он.

Бугай с удовольствием принял купюру, но совсем не ушел. Сказал Кондрашовой:

— Я рядом буду. Если что, кричи.

Лицо Томского болезненно дернулось. Он повернулся к Насте:

— Тут у них камеры, пошли в парк, подальше.

— А ты на меня бросаться не будешь? — кокетливо улыбнулась она.

И себя отругала: зачем она дает ему повод?

Но Миша взглянул на нее равнодушно:

— Анастасия, в меня столько дерьма влили, что я давно импотент.

Как должное причем произнес — нет бы смутиться!

А когда молча углубились в парк, протянул ей флешку.

— Что это?

— Игрушка. Тупая, как народу нужно. Сегодня ночью придумал.

Она уставилась на него во все глаза:

— За одну ночь?! Врешь.

— Настя, я когда-то был гением, — без рисовки, грустно произнес он.

— А где компьютер взял?

— В кабинете врача, Константина этого. Он просил тебя заплатить (сардоническая усмешка) за амортизацию оборудования, дай ему денег, не забудь.

— И что я должна с твоей игрушкой сделать? — Настя недоверчиво взяла флешку в руки.

— Разошлешь всем крупным издателям. Вот список.

Он протянул ей еще один листок.

— А можно... я хоть сама посмотрю сначала?

Томский скривил рот в презрении:

— Я не рисовал мультипликацию. Это просто коды. Ты не поймешь. Чтобы их прочитать, надо быть программистом.

Настя бросила флешку в сумочку. Слегка поклонилась Михаилу:

— Какие будут дальнейшие приказы, шеф?

Взглянул хмуро:

— Ты еще первый не дослушала. Когда тебе начнут перезванивать, приложи все силы, чтобы продать подороже.

— А они начнут?

— Разумеется. — Его лицо не выразило ни малейших сомнений. — Меньше чем за сто тысяч долларов не продавай.

— Миша, — вздохнула она, — у тебя еще и мания величия?

Его глаза были ледяными. Уставился ей в лицо, словно змея:

— Санитара нет, камер нет. Хочешь получить в глаз?

Ей бы тогда сразу повернуться и уйти. Или убежать, если Томский за ней погонится.

Но она чуть помедлила и услышала следующую его фразу:

— Все деньги за игрушку возьмешь себе. Вот. — Михаил протянул ей еще один лист бумаги. — Это отказ от авторских прав. В твою пользу.

Настя пробежала глазами листок: строчки написаны криво-косо, но ее фамилия, имя, отчество, даже паспортные данные — без единой ошибки.

— Ты видел мой паспорт? — пробормотала она.

— Ну да, — пожал плечами мужчина. — Еще когда мы вместе жили. Если ты его меняла — давай перепишем.

— Нет, все правильно. Но сколько лет ведь прошло. Как ты можешь серию с номером помнить?

— У меня всегда была феноменальная память на цифры, — грустно усмехнулся он.

Настя бережно поместила бумагу в сумочку. Взглянула ему в лицо, пропела ангельским голоском:

— Спасибо, Миша. Это подарок за то, что я пробудила тебя к жизни?

— Нет, — покачал он головой. — Подарок я тебе сделаю позже. В более благоприятных обстоятельствах. А это — аванс. За то, что ты мне поможешь.

— В чем?

Его лицо закаменело:

— А ты не понимаешь? Мне надо выбраться отсюда. И как можно быстрее.

* * *

Врач Константин Юрьевич проявил отменные задатки дельца. Заявил Насте: я, мол, свои обязательства выполнил, программиста в чувство привел. А если он на волю хочет, то это совсем другие деньги.

— Вы меня на преступление не толкайте! —

блеял доктор в ответ на ее упреки. — Я как врач-психиатр имею должностную инструкцию: когда пациент приходит в себя, немедленно сообщить в компетентные органы. Его допросят. Возможно, еще одну экспертизу назначат, признают вменяемым — и вперед, отбывать наказание. Он ведь убийца!

Впрочем, глаза врача блестели лукаво, и Настя не сомневалась: вопрос лишь в цене.

Томский возвращался в реальность семимильными шагами и уже знал, *чего хочет он сам*. Ни в коем случае не общаться со следователями. И не выписываться официально.

— Мне нужно, — брызгал он слюной, — просто исчезнуть, поняли? А ваше дело все организовать! Я вам плачу, черт возьми, вот и придумывайте.

— Легко сказать! — закатывал глаза лечащий врач. — Смерть оформить? Сам не могу — это комиссия делает. Побег — еще хуже, станут искать. Если только взять на себя ответственность и отпустить в краткосрочный отпуск? Так ты ж оттуда не вернешься, сволочь, а у меня потом неприятности: почему не предусмотрел?

И смотрит хитрованом.

Настя тяжко вздохнула. Вырвала из блокнота листок, протянула доктору.

Тот уверенно черкнул цифру. С удовольствием пересчитал нолики, протянул ей.

— Кто еще здесь сумасшедший?! — возмутилась Настя.

— Как хотите, милочка, как хотите.

Константин Юрьевич разорвал бумажку.

Но Томский велел: деньги достать откуда угодно.

И когда-то свободолюбивая Настя Кондрашова послушно бросилась исполнять приказ.

Михаил, впрочем, не требовал, чтобы она платила из своего кармана. Для начала поручил разобраться: что стало с его имуществом?

Перечислил:

— Во-первых, квартира в Москве, на Маломосковской. Во-вторых, дом в Болгарии. Ну, и доля в нашей с Севкой компании. Продавай все. Доверенность я тебе напишу.

— Ты ведь невменяемый, какая доверенность?

Но он лишь отмахнулся:

— Ничего. Если цену сбросить, и у психа купят.

И Настя отправилась на разведку.

Квартира, как сообщили в домоуправлении, попрежнему принадлежала Томскому. Кондрашова попыталась получить копию финансового лицевого счета. Но чиновницы сразу насторожились: «Вы его опекун? Или риелтор? К нам из полиции приходили, предупреждали: никаких сделок с квартирой без их ведома не проводить».

Настя стала выяснять, что с фирмой, некогда принадлежавшей Томскому и Акимову. Михаил утверждал: они с Севой — акционеры и совладельцы, Акимов единолично продать ее не может.

Впрочем, как выяснилось, тот ничего и не продавал — просто бросил компанию с пустыми счетами.

А всего хуже обстояли дела с любимой игрушкой Томского — тем самым домом в Болгарии. Он оказался оформлен — как положено по закону —

на болгарское юридическое лицо. И восемь месяцев назад был продан.

Михаил, когда об этом узнал, в ярость пришел неописуемую. Брызгал в Настю слюной:

— Срочно лети в Болгарию! Разбирайся, как это могло случиться!!!

Ей и страшно было, и жаль его.

Молча протянула Томскому факс:

— Вот доверенность. Мне из Бургаса прислали. Сказали, ты сам ее выписал, на Акимова.

— Я? Доверенность?! Да разуй, к черту, глаза! Это не моя подпись!

— Значит, иди в полицию и доказывай, — вздохнула Настя. — В суд на Акимова подавай.

Она ожидала нового взрыва гнева, но Михаил вдруг умолк, съежился. Втянул голову в плечи. Вцепился яростно ногтями в лицо.

Настя ждала.

Наконец он опустил руки — на щеках остались царапины. Пробормотал:

— Нет, Настена. Спорить с Севкой в суде я не буду. У меня с ним другой разговор. И другие счеты.

Они шли по больничному парку.

Томский выхватил из травы очаровательного, нежно-зеленого кузнечика. С силою сжал — во все стороны брызнули ошметки.

— Что ты делаешь? — возмутилась Анастасия.

— Репетирую, — усмехнулся Михаил.

И Насте искренне захотелось, чтобы этот совсем не знакомый ей человек остался в психушке навсегда.

* * *

За компьютерную игру, которую Михаил написал за одну ночь, предложили двести тысяч долларов.

Именно столько требовал алчный Константин Юрьевич.

Настя от своей доли гонорара благородно отказалась, все деньги передала доктору. И тот через пару дней объявил, что отпускает пациента Томского — в связи со стойкой ремиссией! — в краткосрочный отпуск.

Накануне выписки Константин Юрьевич пригласил Кондрашову к себе в кабинет и взял с нее слово: она обязательно будет следить, чтобы Миша принимал все лекарства.

— Не питайте иллюзий. — Глаза врача смотрели холодно. — Михаил не будет нормальным уже никогда. Пока Томский — просто психопат. Тяжелый. А если не держать его под контролем — станет чудовищем.

— Не очень медицинский термин вы употребили, — попыталась пошутить Настя.

— А как еще объяснить, чтобы вы поняли? — усмехнулся врач. — Берегите себя, милая девушка. Вы ввязываетесь в очень опасную игру.

Она и сама это понимала.

Десять лет назад Мишенька был всего лишь слегка чудным, как положено программисту.

Но сейчас о милых странностях речи уже не шло. Трагедия и предательство превратили Томского не просто в сумасшедшего, но в маньяка.

Настя попыталась было предложить *правильный* путь:

— Миша, — твердо произнесла она, — если ты не убивал своих близких... Если у тебя есть доказательства против Севы, против няни... Давай пойдем в полицию и все расскажем!

Но Томский расхохотался ей в лицо — насмешливо, почти демонически.

— Ты издеваешься надо мной?! Ты думаешь, я допущу, чтобы убийца моей дочери получил пятьдесят лет на общем режиме? Пусть даже пожизненное?! Нет, милая. Кровь за кровь. Библейская истина. Иначе мир рухнет.

— Но в Библии написано совсем по-другому... — начала она.

Однако Томский грохотнул кулаком по столу:

— Анастасия, давай договоримся. Со мной не спорь. Никогда. Поняла?!

Однако она упорствовала:

— Миша, но ведь если мы пойдем в полицию и если тебя оправдают, это будет очень удобно. Диагноз снимут, ты получишь паспорт...

— А с чего ты взяла, что я этого хочу? — мрачно улыбнулся он. — Мне больше нравится быть психом. А паспорт я себе сам сделаю. Какой угодно.

— Но тебя ведь убийцей считают.

— Настя, — презрительно хмыкнул он. — Прости, но мнение народа меня решительно не волнует. И в помощи нашей доблестной полиции я не нуждаюсь. Уголовное дело возобновлю сам. И суд над убийцами сам творить буду.

— Хочешь реальный срок получить? — вздохнула она. — В тюрьме?

Томский холодно молвил:

— Сроки получают глупцы. А я буду работать с умом. — Хохотнул: — Как на бутылках с виски пишут: «Drink responsibly». Вот и будем с тобой работать — *ответственно.* Пойдешь ко мне ассистенткой?

— Ни за что, — решительно произнесла она.

— Как хочешь. — Томский взглянул сквозь нее.

— И вообще я уйду от тебя.

— Уходи, — равнодушно пожал плечами программист.

И лишь когда у нее на глазах выступили слезы, равнодушно прибавил:

— Только куда тебе уходить? И зачем? Мужика у тебя нет. Работу свою ты не любишь. Москву не любишь. Денег у тебя нет. Чем тебе будет лучше без меня?

Она хотела возразить — Томский повысил голос:

— Это ведь ты пришла ко мне. Пришла сама, первой. Значит, я зачем-то был тебе нужен. Зачем?

— Позлорадствовать хотела, — честно призналась Настя. И безнадежно добавила: — Вот дура!

— Дура, — спокойно согласился он. — Саму себя совсем не знаешь. При чем здесь злорадствовать? Ты меня до сих пор жалеешь и любишь. Потому и вытащила из психушки. А я что? Я только рад тебя в союзниках иметь. Вот и оставайся. Мы с тобой будем прекрасно дополнять друг друга.

Сомнительное, ох сомнительное счастье! Но она и правда не ушла. Загипнотизировал ее, что ли, этот щуплый, нищий и даже без паспорта доходяга? Или в природе любой женщины — какой бы ни была она успешной и красивой — врачевать убогих, спасать несчастных?..

Впрочем, Настя скорее не спасла, а джинна из бутылки выпустила.

Она-то надеялась *влиять* на Томского. Раньше — когда жили вместе — у нее из Мишеньки почти что веревки вить получалось.

Но теперь он безоговорочно взгромоздился на трон и взял бразды правления в свои руки.

Никого не слушал. И на наставления врача плевать хотел. В первый же вечер на свободе выбросил все таблетки. И виски хватанул целый стакан (хотя пить ему, конечно, тоже запретили).

Из больницы Настя благородно отвезла Томского к себе домой — а куда еще было ехать? Заранее постелила гостю на диване в гостиной.

Тот осмотрел наглаженное постельное белье в горошек и скривился:

— Я в проходной комнате не хочу. Не бойся, на твою спальню не претендую. А кабинет у тебя есть?

— Но я в нем работаю!

— Теперь там буду работать я. И спать там же. Перенеси белье и все остальное.

И она — словно рабыня, почти с охотой! — повиновалась.

А Томский сел за *ее* стол. Включил *ее* компьютер. Увидел иконку Интернета и, чуть не впервые, улыбнулся:

— Настюха, вот она! Свобода!!!

Кликнул по вожделенному значку. Однако тут же снова нахмурился, буркнул:

— Но скорость ни к черту. И память у твоего ящика нулевая. Ладно, все исправим.

И в тот же вечер курьеры начали доставлять коробки.

— Откуда у тебя деньги? — заинтересовалась она.

Михаил хмыкнул:

— Я фанат технологии «умный дом». Год назад вложил в их акции совсем немного. А они за этот год прибыль в пятьсот процентов дали. Так что на первое время у нас с тобой деньжата есть.

— Может, ты тогда себе одежду закажешь?

Из больницы Томский ушел в обносках на три размера больше — санитар, бугай, милостиво пожертвовал.

— Зачем? — искренне удивился Томский. — Здесь все равно никто не видит. А когда будем уезжать, ты сама сходишь и купишь мне, что надо.

— А мы будем уезжать? — насторожилась она.

Томский посмотрел снисходительно, словно на ребенка:

— Ну, разумеется. Думаешь, Севка и эта дура нянька в России? Естественно, за границей прячутся. Как выясню, где именно, сразу сорвемся.

— Может быть, нам прямо сейчас уехать? А то вдруг в больнице проверка будет?

— Пока нельзя. У меня есть дела в России.

— Какие?

— Сама догадайся.

И отвернулся от нее к компьютеру, истинному своему богу.

— Это все, что ты хочешь мне сказать? — Она еле сдерживалась, чтобы не заплакать.

Томский посмотрел на нее холодным взглядом:

— Нет, не все. Прямо сейчас сходи в банк. В любой. И открой счет на свое имя. Реквизиты дашь мне. Я пару игрушек написал, гонорары будут капать туда. Если тебе что надо — шмотки, бриллианты — покупай без вопросов. Остальное снимай и приноси мне.

— Томский, — прищурилась она, — а тебя мама в детстве не научила говорить слово «пожалуйста»?

— Я лучше буду тебе платить, — пожал плечами он. — За приют и помощь. А также за то, что ты не будешь требовать от меня соблюдения правил хорошего тона. Двадцать тысяч в месяц в твердой валюте тебя устроит?

Да, Мишка никогда не был жадным. Потому Настя и вцепилась в него — много лет назад. Но тогда она мечтала лишь о материальных благах. Ей казалось, что ни капельки она Томского — хилого таланта! — не любит. А вот сейчас настолько хотелось, чтобы он ее поцеловал...

Но просить, чтобы Миша приласкал ее — сейчас! — Кондрашова не рискнула. Лишь грустно произнесла:

— Да, Миша. Двадцать тысяч меня устроит.

Он сбросил зарплату ей на карточку в тот же день.

Но очень долго не требовал от нее ничего. Просто жил в ее квартире. Никаких поручений не давал, *пристать* не пытался. Задание дал единственное:

— Запишись на курсы по макияжу.

— Зачем? — опешила Настя. — Я прекрасно умею краситься.

— Дура, — спокойно пригвоздил он. — Курсы профессионального макияжа. Мне нужно, чтобы ты могла полностью изменить свою внешность. Это нам пригодится.

Насте совсем не понравилось поручение Томского. Но она его безропотно выполнила. Хорошо хоть, учиться оказалось интересно. И повод появился: вырываться из зловещей — благодаря постоянному присутствию Томского — квартиры.

Впрочем, из кабинета Михаил почти не вылезал — только в туалет и очень изредка в душ. Еду Настя ему ставила под дверь.

Но как-то в августе, ранним утром, когда Кондрашова крепко спала, Томский внезапно ворвался в ее спальню, принялся трясти за плечо.

Она села на постели, со страхом взглянула. Бледное, перекошенное лицо, глаза горят странным блеском, рот дергается.

— Миша, что случилось? — ахнула Кондрашова.

А он вдруг нырнул в ее постель. Ледяной, весь дрожит. Настя инстинктивно прижалась к нему, пробормотала:

— Давай я тебя погрею!

Но он отстранился — резко, как от врага. Стянул с нее одеяло, завернулся в него. Укутался с головой, только глаза сумасшедшим блеском сверкают. А голос срывается, каркает:

— Езззжжжай пппрямо ссссейчас на кккклад-бище.

— Ты чего, Миша? — совсем перепугалась Настя. — Какое кладбище?!

— Бббутовское.

Он продолжал трястись — одеяло ходило ходуном. Она бросилась к шкафу, достала два пледа, укрыла его, пробормотала:

— Сейчас я тебе чаю горячего принесу.

— Нет! — яростно выкрикнул Томский (заикаться наконец перестал). — Мне ничего не нужно! А ты — делай, что я сказал! Бутовское кладбище. Найди могилу Сазонова. Георгий, сука, Викторович. Девяносто первый — тире две тыщи четырнадцатый. Сфоткай памятник. Поговори с могильщиками. Мне нужно точно знать, что он там, что он сгнил!

И колотит кулаками по подушке — так, что наволочка треснула, пух во все стороны.

Настя реально испугалась. Отступила к стеночке, зашептала:

— Миша, ты не волнуйся! Все хорошо, я съезжу! Прямо сейчас поеду.

А он вдруг сбросил одеяла, выскочил из постели, взвыл:

— Нет! Сам, сам поеду-у! Могилу, на хрен, разрою!

Пусть выглядел Томский жутко, словно восставший из ада, больше всего ей сейчас хотелось закрыть его перекошенный рот поцелуем. Утешить несчастного, приласкать.

Но вспомнила: когда уходили из больницы, доктор ее напутствовал:

— Запомни, госпожа Кондрашова. Когда у психопата припадок — нужно действовать жестко. Иначе сама пропадешь.

Потому она сочувственно взглянула в сумасшедшее, залитое слезами лицо. Подошла поближе, изловчилась и влепила Томскому пощечину. От души, со всей силы.

Программист посмотрел на нее дико. Настя отпрыгнула — показалось, сейчас ударит в ответ. Но он лишь потер пылающую щеку. Мощным рывком притянул ее к себе (Кондрашова сжалась в неожиданно сильных объятиях). А Михаил уткнул лицо ей в плечо и зарыдал. Сквозь слезы выкрикивал:

— Я так мечтал, что найду его и на куски буду резать! А он, эта мразь! Он сдох от передоза! Сдох под кайфом, счастливым! Через три дня после того, как их убил!

Настя не спрашивала, о ком речь. Она прекрасно знала *список жертв*.

В него входили Мишин бывший друг Сева Акимов.

Няня его дочери Галина Георгиевна.

И похититель. Парень с женским голосом. Тот, кто увез жену и дочь Томского, охранял их, приходил в камеру хранения за деньгами. Оказывается, его фамилия была Сазонов.

Три дня назад Михаил обмолвился, что он вышел на его след. С тех пор сидел в кабинете безвылазно, еду, что Настя ставила под дверь, не забирал.

А Кондрашова чувствовала, что сама скоро сойдет с ума. Из-за того, что даже представить не могла, что будет, когда Томский похитителя найдет. И еще потому, что надвигалась осень.

Время, отведенное Томскому для краткосрочного отпуска из психлечебницы, давно истекло.

Константин Юрьевич каждый день звонил ей на мобильник, требовал, грозил:

— Пусть немедленно возвращается, или будем его в розыск объявлять.

Но Михаил лишь отмахивался:

— Пусть ищут.

— Да что искать-то? Достаточно сюда, ко мне домой прийти! — возмущалась Кондрашова.

— Отстань, — кривился он. — Мне сейчас не до того.

Настя же каждую ночь видела в кошмарах: в квартиру вламывается спецназ. Их обоих уводят в наручниках. Томскому что — он псих, вернется в родную психушку. Но ее-то посадят в тюрьму! Она теперь тоже преступница. Дала взятку, укрывала у себя дома убийцу.

...Поэтому сейчас она не ужаснулась чужой смерти — наоборот, обрадовалась.

Исполнитель мертв. Значит, больше их в России ничто не держит.

— Ты точно знаешь, что это именно он, похититель? — спросила Настя Томского.

— Я написал специальную программу, очень сложную, — мертвым голосом произнес Михаил. —

Суперсканер. Вводишь фотографию, образец голоса — и запускаешь поиск. По всем картотекам, видеозаписям, архивам, базам данных. От городских камер наблюдения толку мало — они каждые пять дней обновляются. И мимо всех картотек пролетел — фотография слишком плохого качества, никакой фотошоп не помог. Боялся, вообще ничего не выйдет. Но пришло в голову сайт похоронного концерна взломать. У них его и нашел — в гробу!

— Ну и слава богу, — холодно подытожила Настя. — Есть хорошая пословица: «Баба с возу — кобыле легче». Не придется тратить силы на исполнителя, на «шестерку».

— Он дочь мою убил! — всхлипнул Томский.

— Наверняка ты этого не знаешь, — отрезала она. — Твою дочку мог Сева убить. Или та же няня. Но даже если так — несчастный парень не ведал, что творил. А мстить надо тем, кто приказ отдавал.

У Кондрашовой вовсе не было сейчас задачи распалить Томского. Она одного хотела: успокоить его в данный конкретный момент. А то еще правда поедет на кладбище — могилу раскапывать.

И план-минимум удался. Программист перестал дрожать, лицо обрело более-менее осмысленный вид.

Сел прямо на пол. Устало и виновато молвил:

— Севку я пока достать не могу. Он ведь тоже не дурак. Понимал: навечно в дурдоме меня не запрешь. Вот и зачистил все концы. Исчез. Сгинул. Растворился. Вместе с моими деньгами. Даже страну не получается выяснить.

— Значит, — твердо молвила Настя, — давай пока сделаем паузу. И подумаем о себе. Нам срочно — очень срочно — надо отсюда уезжать. Тебя со дня на день объявят в розыск. И тогда из России ты не выберешься. Какой бы паспорт у тебя ни был.

— Хорошо, — неожиданно легко согласился Томский. — Давай уедем. Где ты хочешь жить?

Она опешила:

— Где *я* хочу жить?

— Ну, где тебе удобнее хозяйство вести. И где вопросов особо не задают, — поморщился он.

— Э... я всегда хотела во Францию.

— Хорошо, — равнодушно кивнул он. — Значит, поедем туда. Паспорта я сделаю завтра. А сейчас пойдем. Я тебе кое-что покажу.

И, не оглядываясь, отправился в кабинет.

Настя семенила за ним.

Она не узнала своей милой, ухоженной, очень женской комнатки. Томский будто специально уют оттуда вытравливал: повсюду валялись клочки бумаги, обрывки газет, смятые пластиковые стаканчики (откуда они у него, специально, что ли, заказывал?). И даже запах здесь стал неприветливый, холостяцкий.

Вместо Настиного лэптопа с жизнерадостной сиреневой крышкой на столе возвышалось многоголовое чудище — пять мониторов, три процессора, принтеры, коробушки неизвестного назначения, паутина из проводов.

— Зачем тебе столько? — удивилась Анастасия.

— А у меня здесь наблюдательный пункт, — надменно молвил программист.

— За кем? — не поняла Настя.

— За тварями, которые в моем доме живут. — Глаза Томского зло сузились. Он с тоской в голосе добавил: — Севка, скотина, его продал за бесценок. Треть цены — лишь бы избавиться. И там, в моем поместье — в моем, я в него душу вложил! — теперь отель. Черт возьми! Там дорогой, навороченный, престижный отель. Леночка сама плитку выложила в своей ванной — только это и переделали, чтобы клиентов кривыми швами не оскорблять. Думаешь, я это потерплю?

— А что ты можешь сделать? — не поняла она.

— Ну, как минимум, не сводить с них глаз, — хмыкнул Томский.

Он шлепнул по клавишам, оживил мониторы. Продолжил ернически комментировать:

— Можно полюбоваться: клиент принимает ванну. Кувыркается с бабой в постели — в моей постели! Любуется морем из моего любимого кресла...

Настя смотрела на открывающиеся картинки с ужасом. Пробормотала:

— Но... но как ты можешь?

— Ты имеешь в виду моральный аспект? Что нехорошо наблюдать за людьми? — презрительно воздел брови он. — Хотя, — пожал плечами, — мне плевать на то, что ты имеешь в виду. Свой дом я никому не отдам. Я не могу пока его забрать физически. Но виртуально — он уже мой. Мой полностью. Под моим тотальным контролем.

Лицо подобрело, стало мечтательным:

— Кнопка на меня все ворчала: зачем столько камер? Я смеялся над ней: чтобы любовников не водила! Ну, или объяснял: в «умном доме» — чем больше глаз, тем лучше. А реально — сам не знал, зачем. Просто хотелось. Теперь понимаю: все правильно сделал. Вот, смотри. Мышь не проскочит. Вижу все. Делаю, что пожелаю.

Молниеносно — Настя залюбовалась его артистичными пальцами — дал несколько команд. И на самом большом из мониторов явилась картинка: южный вечер. Уютный двор. Ярко горят фонари. Гладь бассейна искусно подсвечена. На отражение пальм в изумрудной воде из шезлонга любуется девушка. Все как в рекламном клипе: вечернее платье, в руках коктейль, нога в босоножке изящно отставлена. И кавалер рядом имеется — он мускулист, белая рубашка эффектно оттеняет свежий загар. Оба молоды и, кажется, искренне наслаждаются морем, пальмами, прекрасной виллой и друг другом.

— Ты когда-нибудь пробовал секс в бассейне? — весело звенит девичий голосок.

Мужчина время на ответы не тратит. Его рука уверенно ложится на женское плечо, пробирается под платье.

А Томский хрипло шепчет:

— Я этот бассейн для дочки строил. Специальную систему очистки заказывал, чтобы никакой хлорки, чтобы у Леночки аллергии не было...

Девушка на экране уже без платья — точеная фигурка, тоненькие стринги. Мужчина торопливо расстегивает свою белоснежную рубашку.

Настя решительно отвернулась от экрана, хотела уйти... Но Томский сжал ее в грубых объятиях, хмыкнул:

— Не бойся. Порнухи не будет.

В этот момент загорелая красавица — уже совсем без одежды — красиво (видно, в детстве в бассейн ходила) прыгает с бортика. И Настин кабинет разрывает оглушительный, нечеловеческий вопль. Девушка уходит под воду, мужчина сначала хочет нырнуть за ней, но в последний момент останавливается. Опускает в бассейн руку, отдергивает, стонет: «Черт, черт!»

— Плюс восемьдесят два. Горячевато, — иронически комментирует Томский.

Мужчина падает грудью на бортик, пытается вытащить свою подругу... вот ухватил ее за руку... крупным планом — волдыри от ожогов...

— Миша, — в ужасе ахает Настя. — Это ты? Это ты сделал?..

— Ну, не сами ведь они решили в кипятке искупаться, — усмехается программист. — А менять температуру воды в моем бассейне я могу дистанционно. И по собственному усмотрению.

— Какой ты, оказывается, нелюдь! — бормочет Настя.

Однако Томский искренне удивлен:

— Нелюдь? Я? Но я разве приглашал их в свой дом?!

И добавляет убийственный аргумент:

— По крайней мере, эти двое живы.

— А ты что, и убивать можешь? — Настин вопрос прозвучал хрипло.

Михаил хмыкнул:

— Подобной *опции* в «умном доме», к сожалению, не предусмотрено. Но если туда попадает человек с неустойчивой психикой... А оператор — то бишь я — проявляет определенную смекалку... Смотри.

Снова несколько быстрых команд, и Настя на экране монитора видит: по комнатам мечется одетая в черное женщина. Ее лицо залито слезами, губы дрожат, повторяют:

— Меня нет! Меня не-ет! Нет!!!

— Это она из-за того, что в зеркалах не отражается, — с напускным сочувствием комментирует Томский. — Ни в одном.

— Как ты это сделал?

— Да обычный защитный экран. С дистанционным управлением. Мы с Кнопкой просто дурака валяли, когда придумывали. Думали, гостей как-нибудь разыграем. А оно видишь, как действует.

Михаил с удовольствием наблюдает, как женщина бросается к зеркалу. Бьет в него кулаком. Осколки, слезы, кровь.

— Сначала ее в психушку заберут. А через неделю она повесится, — с удовольствием сообщает Томский.

— Но за что ты с ней так? — Настя в ужасе.

— В Интернете прочитал, она дочку свою убила, — пожимает программист плечами. — Может, конечно, и врут — раз она на свободе.

— А ты кто? Судья?

Томский не колеблется ни секунды:

— В моем доме — да. Хочу — милую, желаю — казню.

И Настя закрывает лицо руками. Что ей остается?

Только тихо плакать, винить некого. Она сама выпустила Франкенштейна на свет божий.

* * *

Прошло восемь месяцев

Поляк с испанским паспортом, он нигде подолгу не жил. Настолько привык к мысли, что его могут искать, что больше месяца на одном месте усидеть не мог. Четыре-пять недель минует, и словно тумблер в организме включался, начинал нашептывать на ухо: «Спасайся! Беги!»

Последним его приютом был островок-отель на Мальдивах. Никакой роскоши, скромные три звезды — Сева деньги на ветер никогда не швырял. Но рыба свежая, море лазурное, небо бархатное — что еще надо одинокому страннику?

Персонал на Мальдивах строго следует правилу: без нужды клиенту на глаза не показывайся. А тут, в недорогой гостинице, прислугу и если нужно не дозовешься. Сева и не звал. Жил автономно. Мокрые полотенца на солнце сохли мгновенно. Еду и воду из магазинчика он приносил в номер сам. А если переполнялось мусорное ведро, не брезговал выбросить.

Июнь, межсезонье, туристов мало. Никто, решительно никто на него внимания не обращал.

Но все равно — минуло четыре недели, и стало казаться: лентяй-батлер вдруг как-то подозрительно часто стал наведываться, убирать комнату. Официант из скучающего превратился в навязчивого. Пара пожилых туристов из Германии приветливо улыбалась и пыталась завязать разговор.

Значит, снова надо бежать.

«Стоила ли овчинка выделки»? — в который раз спросил себя Сева.

Деньги у него пока оставались. Но кочевать — пусть по желанным, интересным местам — надоело изрядно. Да еще этот постоянный, липкий, удушающий страх...

Надо просто его побороть и наконец осесть где-нибудь. Никто не будет его искать — поляка с видом на жительство в Испании.

В пору, когда Сева жил в Москве и вел бизнес, он часто мечтал: выйдя на покой, он подастся в тропики. На островок типа мальдивского.

Мечта — удивительно! — со временем не поблекла. И тропический рай Севе не надоедал. Единственная проблема: *затеряться* в подобном месте нельзя никак. Вычислили твой райский остров — и все, ты покойник.

Потому придется ему возвращаться в город. Нужно выбрать шумный, но милый. Где-нибудь в Испании, по «месту прописки». Барселона, Толедо, Гранада. Сначала поездить, пожить там и здесь, присмотреться. И наконец купить себе собственное жилье.

Сева включил компьютер, вышел в Сеть. Никаких, избави бог, отелей — начал пролистывать пансионы. Быстро нашел один в Гранаде, на крошечной улочке рядом с университетом. Внимательно рассмотрел картинки: из дома — два выхода, и крыши — вплотную друг к другу (это на крайний случай). Плюс толпы студентов, туристов, полно такси. Годится.

Он отправил запрос. Бронь немедленно подтвердили. Да еще и хозяйка оказалась услужливой, вдогонку к официальной бумаге прислала письмо: что будет рада видеть, спрашивала, не надо ли обеспечить сеньору трансфер. Сева отозвался: «Спасибо, я все организую сам».

Оба не ведали, что их переписка видна еще одному человеку.

Тот сидел, сгорбившись, за компьютером. Отчаянно грыз ногти, хрустел костяшками пальцев. А по лицу его — текли слезы.

...Сеть, которой программист ловил Севу, опутала весь мир. Но очень долго невод приносил одну лишь тину морскую. Трудная задача — найти человека, когда нет ни фамилии, ни имени, ни телефона, ни номера счета.

Томский знал, что Акимов очень любил Америку. Он сумел подключиться ко всем камерам во всех аэропортах и терпеливо ждал, что программа даст ему знать, когда Севка пересечет границу. Безрезультатно.

У бывшего друга были живы родители. Михаил надеялся: когда-нибудь они получат от сына весточку или денежный перевод. Конечно, Акимов предпримет кучу предосторожностей, но Томский не сомневался, что разгадает все хитрости друга. Однако Сева своих стариков полностью игнорировал.

А еще у Акимова была любимая фразочка: «I will arrange everything by myself»[1].

Он часто ее использовал в переписке с иностранцами. Постоянно употреблял в речи — Томский запомнил, когда вместе ездили за границу.

Михаил подумал: преступник может изменить всю свою жизнь. Но вряд ли ему придет в голову избавляться от фигуры речи. Самой обычной.

...Написать и внедрить на основные почтовые серверы ловушку оказалось адски непросто. Но Томский справился с задачей.

Еще одна, вспомогательная программа ежедневно просматривала сотни писем с искомой фразой, выискивала для него самые подозрительные — их он потом читал лично.

Иногда выяснял, кто владелец электронного адреса.

Этот поляк с испанским паспортом насторожил его еще месяц назад.

И сегодня — вместе с письмом в Гранаду — Томский смог получить и фотографию. Сделанную единственной камерой наблюдения на мальдивском островке.

То был Сева Акимов. Он загорел, похудел. Сменил стрижку. Но то был однозначно он.

...За окном маячила в дымке Эйфелева башня.

На крошечном балкончике сидела с бокалом бургундского Настя.

Соседи считали их семьей — правильной и скучной.

---

[1] Я все организую сам *(англ.)*.

Томский справился с рыданиями и заорал:

— Настька! Быстро собирай чемоданы. Мы улетаем!

Она вздрогнула. Капля красного вина сорвалась из бокала, засияла на ее белой блузке ярким пятном, словно кровь.

Михаил вышел на балкон. Нежно коснулся указательным пальцем пятна. Пробормотал — не Насте, собственным мыслям:

— Да... ему будет больно. Очень больно. Как мне.

* * *

Настя обещала все сделать за два часа. Купить билеты, забронировать отель, собрать вещи.

— Много барахла не тащи. Все, что нужно, купим на месте, — велел ей Томский.

И отправился коротать оставшееся до отъезда время в любимое логово — кабинет.

Ликовать, что достал наконец Севку, настроения не было. Наоборот, накатила адская усталость. Обычный человек в подобном состоянии валится на диван, открывает пиво и включает телик. А Михаил набрал пароль и вошел в *свой дом.*

Прошелся по комнатам. Увидел.

Чужая женщина читала книжку в его любимой гостиной с видом на море.

Чужая девочка играла в детской комнате его дочери.

...Поначалу — когда эти двое только приехали — Михаилу вдруг захотелось (сам от себя не ожидал) о них позаботиться. Не похожи они были на предыдущих жильцов — богатых, порочных. К жизни красивой, видно было, непривычны. Тушевались, смущались. К тому же у девчонки оказалась астма. А мамаша — беззащитная, заполошная. Чем-то отдаленно Кнопку напоминала.

И пару дней Томский с удовольствием исполнял роль *доброго* волшебника. Насыщал воздух в доме озоном, включал для девочки любимую песенку, уложил спать ее куклу — в детской комнате имелся для таких целей специальный робот.

Но когда юная паршивка забралась на чердак, в будуар с Леночкиными нарядами, и Михаил увидел ее в дочкином любимом платье — накатила страшная ярость.

Как они смеют?!

Одеваться в чужие вещи? Залезать в самые сокровенные уголки?!

Еще и гостей — в его дом! — пригласили. Мамаша взялась печь — на его кухне — клубничный пирог.

Томский с яростным, почти животным удовольствием спалил кулинарный шедевр. Упивался, наслаждался страхом женщины. Приступом астмы у девочки. Вот оно, счастье.

Впрочем, на другой день приступ злости прошел.

Томский снова стал смотреть на постоялиц почти с сочувствием.

Баба одинока, ее любовник никчемен. Девчонка растет без отца. Да еще обманутая жена их преследует. Явилась в Болгарию, бродит под стенами дома. Ему — *ему!* — осмелилась написать. Предложила *сотрудничать.*

Сначала Михаил хотел настойчивые письма женщины, которая мнила себя продвинутой компьютерщицей, просто проигнорировать. Но потом решил развлечься. В «кошки-мышки» сыграть. Интересно ему стало: насколько брошенная, несчастная домохозяйка сильна в программировании. И что будет, если *стравить* дамочек? Как они себя поведут?

Воевать с Ларисой на его поле оказалось совсем легко. Женщина, конечно, кое-что умела, но тягаться с когда-то лучшим программистом страны ей оказалось не по зубам. Она думала, что смогла взломать «умный дом». И не ведала, что Томский позволил ей сделать лишь то, что считал нужным. Лариса не сомневалась: вся система защиты пала, Юна с дочерью спят.

Однако Томский загодя разбудил вторую участницу драмы. Предупредил, что на участке — посторонние. С интересом стал ждать, что будет дальше.

И Юна не разочаровала. Не впала в панику, не начала звонить в полицию. Но вступила с соперницей в диалог. А когда Томский все-таки вызвал ей на подмогу парня из службы сервиса, даже благородство проявила. Горе-взломщицу не сдала.

Смотреть на чужие страсти ему очень нравилось.

А выступать их режиссером — оказалось еще интереснее.

...Однако сейчас все его *забавы* казались полным детством.

Ему больше не нужна была игра.

Теперь у него есть настоящий, реальный враг.

Точнее, два врага. Севкину прихлебательницу — еще одну «шестерку» — Михаил нашел месяцем ранее.

* * *

Франкфурт-на-Майне оказался удивительным городом.

Галина Георгиевна жила здесь почти полтора года, а немецкий язык ей до сих пор не понадобился. Все соседи в ее квартале наши, магазины — тоже. Даже сотрудники социальной службы прекрасно говорили по-русски. Она не могла понять, с какой стати немцам так заботиться о ней, чужестранке. Но факт оставался фактом: коли ты в возрасте и вид на жительство у тебя легальный — получай множество благ. Бесплатную квартиру. Медстраховку. Языковые курсы.

Галине Георгиевне было очень комфортно в новой жизни и в новом мире. Она завела подруг, ходила в парикмахерскую, делала маникюр, даже на велосипеде стала кататься, несмотря на преклонные годы.

И отдыхать, уезжать куда-то — не возникало даже мысли. Зачем?

Но социальная служба буквально бульдогом вцепилась:

— Вы пенсионерка и гражданка Германии. Вам положена бесплатная путевка. Поезжайте, посмотрите мир. Много ли вы раньше путешествовали?

Это верно, прежде кататься по разным странам ей особо не доводилось.

И Галина Георгиевна вняла уговорам. Согласилась поехать по бесплатной путевке в Испанию. Чего отказываться, если глупые немцы сами дают?

Привезли домой билет, ваучер. Доставили в аэропорт на такси. В Испании встретили, доставили до места. Отель — не дворец, но аккуратненький, милый. Одна проблема: среди персонала — ни единого русскоговорящего или хоть какого славянина, сплошь испанцы — очень вежливые, галантные. И жили здесь только европейцы, улыбчивые, но чужие. Это было неудобно. Как в такой обстановке выведать, куда идти на завтрак и где брать пляжное полотенце?

Потому, когда ей в номер позвонили и обратились на чистом русском языке: «Галина Георгиевна?» — женщина радостно выдохнула:

— Ну наконец-то! Вы из социальной службы?

— Это не совсем так, — отозвалась собеседница. — Я живу здесь, в Испании, и должна сделать все, чтобы вы не скучали.

В ее речи чувствовался легкий иностранный акцент.

— Вы ведь housewife? — продолжала вещать незнакомка.

— Чего?

— Сами ведете домашнее хозяйство, готовите?

— Ну да.

— Тогда вам будет интересно посетить мастер-класс в одном хорошем ресторане. Шеф-повар учит готовить традиционную испанскую паэлью. Потом небольшой фуршет.

Галина Георгиевна слегка растерялась:

— Но мне не говорили, что будет культурная программа.

— О, не волнуйтесь, — по-своему истолковала ее смущение женщина. — Это все абсолютно бесплатно. Я заеду за вами на автомобиле, отвезу, подожду, привезу. По пути проведу небольшую экскурсию — мы едем в rural, как это будет — да, в сельскую местность. Там изумительные пейзажи, а также лучший в Испании аутлет с ценами на пятьдесят процентов ниже, чем в Гранаде. У нас, полагаю, найдется время его посетить.

Галина Георгиевна слушала и таяла. Хорошо в Европе. Все такие вежливые, заботятся, обхаживают!

— А это точно нисколько не будет стоить? — на всякий случай уточнила она.

— Что вы! Для нас большая честь — доставить вам максимум удовольствия, — молвила в ответ женщина.

Галина Георгиевна не уловила в голосе собеседницы легчайшей, совсем почти незаметной иронии. И доверчиво обещала быть завтра на ресепшен ровно в девять утра.

* * *

С тех пор как уехал из страны, Сева никогда не общался с русскими. Если вдруг обращались на улице, говорил, что не понимает. Для легенды он выучил польский. Для удобства — английский. Теперь еще испанский с итальянским осваивал — просто от скуки.

А про себя усмехался: «Когда деньги кончатся, переводчиком пойду».

Сева с юных лет крутил бизнес и никогда в жизни не работал «на дядю». Всегда считал: ничего нет хуже, чем ишачить наемным сотрудником. Но сейчас, после двух лет абсолютной вольницы, стал задумываться: «А может быть, и неплохо. Коллектив. Свой стол, своя чашка. Поболтать в курилке, посмущать молоденькую секретаршу. Да еще голова ни о чем не болит: и зарплата у тебя, и медстраховка...»

Он, конечно, уже привык быть одиноким волком. Но иногда отчаянно скучал по дружелюбным разговорам. По вечеринкам. По женщинам. Не проститутку ему хотелось, а обычную, с комплексами, с желанием, чтобы замуж взяли!

Однако заводить романы Сева опасался. Максимум, что себе позволял, поболтать с симпатичной женщиной. Недолго и ни о чем. С хозяйкой, вон, пансиона про Хуана Карлоса и Рафаэля Надаля беседовал. Той чрезвычайно импонировало желание постояльца освоить испанский, и Севе всегда доставались самый удобный столик и самые свежие булочки на завтрак.

— Неужели такой очаровательный мужчина не женат? — удивлялась хозяйка.

И Сева (согласно легенде) врал, что в разводе, дети остались с бывшей супругой.

А сегодня на завтраке — явно без хозяйки пансиона тут не обошлось! — за его столиком оказалась новая постоялица. Француженка по имени Жаклин. Очаровательная, пусть и не юная. Сева перекинулся с ней парой слов. Передал джем, не поленился сбегать, принести ножик — свой она уронила.

Дамочка оказалась точь-в-точь как ему нравились: стройная, с веселыми умными глазами и очаровательными морщинками. Да еще никакого айпада, айфона, делового костюма: платьишко в васильках, газета, туфли-лодочки. Настоящая Одри Хепберн из «Завтрака у Тиффани». Только постаревшая. Постаревшая красиво, как одни европейцы благородных кровей умеют.

По-английски она говорила неважно — хозяйка пансиона то и дело переспрашивала. Испанского не знала вовсе, в Гранаде была впервые, потому как-то само собой вышло, что Сева взял над новой гостьей что-то вроде шефства. Нет, никуда не выгуливал, упаси господь. Исключительно мелочи: подсказал, как добраться до Альгамбры, посоветовал хороший ресторан, отговорил брать напрокат машину — парковаться негде, ездить по узким улочкам сложно.

— Но я хотела посмотреть на Татьяну Гарридо, — печально вздохнула Жаклин.

— А это кто? — ухмыльнулся Сева.

— Как, вы не знаете?! — Красавица воздела ладони в укоряющем жесте. — Это ведь лучшая на весь мир танцовщица фламенко!

Он еле уловимо пожал плечами. Ресторанчиков, где топочут каблуками и щелкают кастаньетами, в округе полно, и все эти дамы, под истеричную музыку изображавшие стрррасть, Севу как-то не задевали.

Жаклин — вот он, европейский лоск! — мгновенно уловила его волну. Улыбнулась, молвила:

— Впрочем, я еще никогда не встречала *нормального* мужчину, кто любил бы фламенко. Но что же мне делать? Татьяна Гарридо принципиально не выступает в туристских местах. Надо ехать в старинное поместье, оно находится недалеко от Альмуньекара. Это 85 километров от Гранады. Брать такси туда будет дорого.

И посмотрела с надеждой.

— Жаклин, — улыбнулся Сева, — ну чего вам так далась эта Гарридо? В Гранаде десятки пещер, где танцуют фламенко. И до всех них можно дойти пешком.

— Нет, вы все-таки ничего не понимаете! — с сожалением вздохнула она. — Одно дело то, что испанцы показывают туристам, и совсем другое — танцовщица из всемирно известной школы фламенко Марикийи. Да и само поместье исключительно красиво. Я смотрела рекламные проспекты. И читала, что акустика там изумительная. Про пение канте хондо рассказывают что-то чрезвычайное. А насколько там величественные сады черемойи!

Смешная она, эта француженка. Слово еще есть для таких... Вот, экзальтированная. С такой свяжись — будет и дальше таскать: по симфоническим концертам, музеям, театрам.

А неугомонная между тем продолжала:

— Я сама занимаюсь фламенко. И вот, наконец, приехала в Испанию, на его родину. Этот танец — в хорошем исполнении, конечно, — меня заряжает исключительной энергией! Хочется смеяться, и петь, и купаться ночью в море, и совершать какие-то безумства, словно ты опять молода!

И взглянула на него — лукаво, чуть ли не многообещающе.

Сева почувствовал: в низу живота заныло.

За два года скитаний у него ни разу не было секса просто с женщиной, не с проституткой.

А тут милая француженка — насмотрится фламенко! — и запросто будет готова на маленькое безумство.

— Et Bien, Жаклин, — решительно молвил он. — Узнайте, когда пляшет ваша Гарридо, и я арендую на этот день машину. Отвезу вас туда. И даже готов составить компанию на концерте.

— Дьявол! — неожиданно ругнулась она. — Да вы, оказывается, нормальный мужчина!

Перегнулась через стол и поцеловала его в губы.

...Сева перед свиданием нервничал — хуже мальчишки. Даже, стыдно сказать, виагры прикупил, хотя прежде никогда осечек не было. Но одно дело — случайная связь и совсем другое — когда планируешь переспать с соседкой (пусть всего лишь по пансиону).

Жаклин сидит рядом, на пассажирском сиденье, ветер в открытые окна треплет подол ее платья, иногда открывает взору коленки. Совсем юные, круглые. Ни намека на дряблость или пигментные пятна.

А ведь судя по лицу — дамочке за сорок, никак не меньше. Сева не сомневался: обнаженным ее тело будет выглядеть еще лучше.

Дорога петляла, арендованный «фиатик» на серпантинах натужно фыркал — выпендриваться и брать напрокат представительский класс Сева не стал. Жаклин вела себя как девчонка. Опасно высовывалась из окна, хихикала над его шутками. Извлекла из сумочки флягу со строгим штампом «Property of Alcatras». Хлебнула (запахло хорошим коньяком). Протянула фляжку ему. Серьезным тоном молвила:

— Фламенко трезвым смотреть нельзя!

Сева — с тех пор как перешагнул границу России — ни разу не нарушал законов. Но сейчас не удержался. Хлебнул. Прорвемся! Минимальные промилле в крови в Европе, кажется, допускаются.

— Как будто нам по шестнадцать лет, мы угнали папину машину и едем на дискотеку! — веселилась Жаклин.

...В усадьбу они входили в обнимку. Пока шел концерт, ее рука доверчиво лежала в его ладони. Жаклин уговорила его еще выпить:

— Только не бесплатного шампанского, избави бог! Давай я угощу тебя портвейном, я читала, он здесь какой-то особенный, столетней выдержки, из древних бочек!

Конечно, Сева ей платить не позволил, купил два бокала сам.

Татьяна Гарридо — полная, не слишком красивая и далеко не юная, — пожалуй, стоила того, чтобы тащиться на ее выступление в глушь. Сева не разбирался, правильная ли у женщины техника, но искры страсти по залу разлетались невероятные. И распаляли его с каждой минутой все больше и больше.

— В этом поместье есть отель? — прошептал Сева на ухо Жаклин.

— Здесь нет, — отозвалась она. Облизнула губы. Сжала его колено. — Но я специально просмотрела путеводитель. Есть пансион. Недалеко. Ехать три километра. Ты вытерпишь?

— Не знаю.

Очередной танец как раз закончился, публика бешено аплодировала.

Жаклин решительно встала:

— Тогда мы поедем прямо сейчас.

Схватила его за руку и потянула к выходу.

Пуговка на ее платье расстегнулась, щеки пылали.

— Ну и портвейн у них, я вся горю! — пожаловалась Жаклин. Она тревожно взглянула на Севу: — Ты машину довести сможешь? Тут, правда, совсем близко.

И махнула — не в сторону шоссе, а в противоположную. На грунтовку, что поднималась в гору:

— Видишь, огонек горит? Пансион там.

В голове у Севы шумело — то ли от портвейна, то ли от страсти. Дружок в штанах предательски изображал полную боевую готовность. Дотерпеть до отеля? Или наброситься на нее прямо в машине? Пока все равно концерт, на парковке никого нет...

Он сел за руль, вставил в зажигание ключ. Но заводить машину не стал — схватил Жаклин, прижал к себе. Она радостно ответила на его поцелуй. А дальше... дальше Севу закружило, потянуло, понесло. Замелькали яркие пятна: красная юбка танцовщицы... лицо француженки...

Сева не успел увидеть сочувствия в ее взгляде.

Голова упала на руль.

Жаклин поспешно выбралась из машины. Спотыкаясь на высоких каблуках, подошла к маленькому «Пежо», припаркованному в дальнем углу стоянки. Там, на пассажирском сиденье, ее ждала женщина. Говорила она на приличном французском, одевалась как европейка, но Жаклин почему-то решила: дамочка из России. Только русская мафия дает такие странные задания. И столь хорошо за них платит.

— Готов, — сообщила ей француженка.

Заказчица кивнула. Протянула конверт. Забрала ключи от «Фиата». Скупо улыбнулась на прощание:

— Merci.

Жаклин проводила ее взглядом. Заглянула в конверт. Пачка евро. Купюры сотенные. Приятно!

Француженка называла себя сотрудницей «эскорт-услуг», но в стране кризис, приходилось браться за любую работу.

Будем надеяться, что галантному кавалеру не причинят большого вреда — просто, как обещала русская дама, напугают.

* * *

Галине Георгиевне экскурсовод чрезвычайно понравилась. Нынче все молодые особы — известные профурсетки. Сиреневые волосы да ветер в голове.

А тут одета элегантно, о себе невесть что не мнит, разговаривает уважительно. И каждую копеечку отрабатывает: постоянно докладывает — слева то, справа се, до цели еще сто километров, может быть, перекусить, воды или в туалет?

Галина Георгиевна бы не отказалась скушать вкусную плюшку и сходить по-маленькому, но, с другой стороны, — так мило едется, под тихие фокстроты шестидесятых и дуновение свежего ветерка.

Милая экскурсовод словно прочитала ее мысли:

— Если вы не хотите останавливаться, на заднем сиденье термос. Сладкий чай с лимоном, вы ведь так любите?

— Откуда вы узнали? — почти со страхом спросила Галина.

Молодая женщина взглянула ласково:

— В отеле сказали. Я и булочки с орехами пекан купила, они тоже сзади.

Ну и зачем, если все предусмотрено, тратить время на придорожные забегаловки?

Галина Георгиевна отхлебнула чаю. С удовольствием вгрызлась в плюшку. Окинула мимолетным взором пейзаж — ветряные мельницы, холмы, чистота, солнце, до чего быстро привыкаешь к хорошему. Почему только небо потемнело? Собирается гроза или сумерки наступают, а она и не заметила?

Хотела спросить экскурсовода, но язык не послушался — пробормотала нечленораздельное. Завалилась на правый бок, голова с тяжелым звоном стукнулась в стекло.

Анастасия Кондрашова взглянула на часы и сбросила скорость до правильных ста. Не хватало еще на принципиального испанского гаишника нарваться — сейчас, когда рядом бездыханная пассажирка.

Впрочем, рассчитано все идеально — через десять километров ей уже поворачивать.

* * *

Галина Георгиевна очнулась от ужасающей жажды. Глоток, скорее — того самого удивительно вкусного чая!

Она, еще в полудреме, потянулась за термосом. Рука не слушалась.

Женщина дернулась, встряхнулась — тело тоже не повиновалось.

Что за неприятный сон! Ощущение, будто растянута на жесткой постели, руки закинуты за голову и прикованы, щиколотки тоже приторочены намертво.

Попыталась открыть глаза — чернота. Завязаны. Накрепко.

Рот тоже стянут – судя по запаху клея, скотчем.

Замычала, задергалась — скорее закончить кошмар!

Но остатки дремы слетели, а вырваться не получалось. Только скотч еще больнее впился в губы, а в запястья глубоко вгрызся холодный, острый металл.

«Где я? Черт! Мама! Матерь Божья!» — попыталась молиться.

Но путы и не думали исчезать — наоборот, впивались все туже.

И от того, что она не видела, где находится, к чему привязана, день сейчас или ночь, ей становилось все страшнее и страшнее.

...Давнее желание сходить по-маленькому осуществилось непроизвольно, но Галина Георгиевна не замечала ни мокрой одежды, ни запаха. Она упорно пыталась нащупать слабое звено, освободить хотя бы одну руку, вытолкать языком скотч и лишь спустя долгие минуты поняла — бесполезно. Тогда затихла. Надо сосредоточиться. Придумать. Хотя бы что-то.

В этот момент и включился голос. Громкий, встревоженный.

И от того, что он был ей хорошо знаком, накатила страшная, липкая тошнота.

«Леночка такая красивая была. Ой, почему «была»? Тьфу на язык мой глазливый! Я имею в виду, платьице вы ей красивое купили, я налюбоваться не могла. Она еще подол так смешно поднимала, чтобы его об землю не испачкать...»

— Нет! — попыталась закричать Галина Георгиевна.

Отчаянно дернулась. Путы с еще большей силой впились в щиколотки и запястья.

И голос — ее голос! — продолжал:

— Ну, пошли они, как мы всегда отсюда к метро ходим. Наискосок через двор, мимо магазина... а дальше я уж не видела.

Пауза.

Галина почувствовала: лицо заливают слезы.

А дальше щелчок — и по новому кругу: «Леночка такая красивая была. Ой, почему «была»? Тьфу на язык мой глазливый...»

Если бы она могла — что угодно! Выключить собственный голос, завизжать. Броситься несчастному отцу в ноги, виниться, целовать ему ботинки. Но она не могла ничего. Только слушать снова и снова: «Ну, пошли они, как мы всегда отсюда к метро ходим. Наискосок через двор, мимо магазина... а дальше я уж не видела».

Зачем, зачем, зачем она это сделала?!

Ради денег. И чтобы Томскому — всегда надменному, придирчивому, капризному — насолить.

«Его запрут в психушке пожизненно, — клялся ей Севка. — Он никогда оттуда не выйдет».

И Галина Георгиевна поверила.

Но Томский вышел на свободу. Нашел ее. Запер здесь, на адскую пытку.

И, конечно, убьет.

В этом Галина не сомневалась.

* * *

Акимов сны ненавидел. Чтобы обезопасить себя от них, он всегда принимал снотворное. Лучше наутро ходить одурманенным, чем по ночам просыпаться в поту.

Но сегодня все-таки приснилось.

Нежный, тоненький голосок:

— Дядя Сева, ну дядя Севочка! Вставай скорее! Ты обещал мне морских котят показать!

Встрепенулся, вздрогнул, захлопал глазами.

Лена Томская.

В белом сарафане, присела на край его постели, тормошит за плечо, нетерпеливо топает босой ножкой:

— Дядь-Сев, ну, просыпайся! Я жду тебя, жду! Мама с папой ушли, а котики уплывут все сейчас! Пойдем скорее на пирс пятьдесят восемь!

Личико подзагоревшее, щеки пылают, нос шелушится. Они... в Сан-Франциско? Да, точно. Поехали туда летом, когда жара. У Томского с Севой переговоры, Леночка с Кнопкой — группа поддержки. Где она так обгорела? Вчера, на экскурсии в Алькатрас?

Но... — Акимов отчаянно пытался потереть глаза, а руки не слушались — как они могли оказаться в Сан-Франциско? *Не успели* ведь туда съездить. Ни в Алькатрас, ни вообще в Америку. Вчера как раз вспоминал. Увидел у Жаклин фляжку с логотипом знаменитой тюрьмы, и в сердце вонзилась раскаленная игла. Поездка в Сан-Франциско только *планировалась*, но не случилась — Лена с Кнопкой погибли, Томский попал в дурдом. Прежняя жизнь закончилась.

Но вчера, рядом с хмельной от предвкушения близости женщиной, Сева не стал себя бесполезно точить. Выбросил *тяжелое* из мыслей. И ночью, надеялся, оно не настигнет, не приснится.

Он забыл принять снотворное? Или выпил, но девочка все равно явилась? Доверчивая, юная. Пальчики теплые — теребит его беспардонно за ухо, требует, чтобы проснулся.

Сева попробовал стряхнуть ее руку — опять не вышло. Что с ним такое? Тело полностью потеряло подвижность. Обморок, болезнь? Попытался шевельнуться — не получается. Почему?

Он дернулся сильнее и облился потом от страха. Понял, что в щиколотки, запястья врезается железо, он накрепко и больно привязан. А *голова* — одна голова, сама по себе — свободна. Находится в гостиничном номере. За окном видится краешек моря, чайки горланят. И Леночка по-прежнему здесь.

— Дядь-Сева, — голос девочки теперь звучит обиженно, — ну что вы меня бросили все! Я тебя так люблю, а ты все спишь...

Сказать ей, что он ее тоже любит? И чтоб немедленно оставила его в покое, шла прочь?!

Акимов замычал — ответить не получилось. Рот, судя по мерзкому запаху, перетянут скотчем. А дальше он почувствовал, будто с головы кожу сдирают — быстро, грубо.

Картинка перед глазами дернулась, исчезла. Вспыхнул яркий свет.

И он увидел.

Игровой шлем клацал по каменному полу, катился в угол. А перед ним стоял Томский. Глаза безумные, в руке нож.

— МИША! — дернулся, попытался закричать Сева.

Скотч впился в рот. Акимов понял, что стоит вертикально. Увидел на запястьях и щиколотках наручники. Он прикован за руки и ноги к стальным кольцам в стене. Полностью обездвижен. Вырваться из железных пут нереально. Голое тело холодит ледяной бетон.

Попытался сориентироваться, осмотреться. Но что уловишь в полумраке подвала? Только запахи. Воняло одновременно сыростью и чем-то жарким.

Сева скосил глаза, увидел — в углу пылает жаровня. На ее краю — стальные щипцы.

Почему-то не испугался. Решил: щипцы здесь для антуража. Подумал:

«Когда пугают — это хорошо. Значит, сразу убивать не будет, мы сначала поговорим».

Но в следующую секунду Томский, не целясь и не колеблясь, вонзил ему нож в обнаженное плечо.

Сева заметался, захрипел. Боль была оглушительной, но короткой. А дальше — дыхание перехватило от удушающего запаха крови.

Жаркий, липкий поток защекотал потное тело.

Рана глубокая, все вокруг закачалось, задрожало. Кровь течет быстро и сильно. Легкие целы, удушья нет. Сейчас сознание начнет приятно мутиться... Не самая страшная смерть.

Сева перехватил взгляд Михаила — по-прежнему равнодушный, пустой. *Деловитый*.

Бывший партнер по бизнесу аккуратно положил нож на край жаровни. Взял каминные щипцы. Ловко подхватил ими пылающее полено. Пугать, *показывать* не стал. Сразу накрепко прижал раскаленное дерево к Севиной ране.

В нос отвратительно ударило паленым. Боль рвала тело в клочья.

А Томский, спокойный и даже скучный, вернул полено в жаровню. Снова взял в руки нож.

Сева заметался в путах — загремели цепи, голова больно стукнулась о стену. Вот он, выход!

Акимов еще раз, со всего маху, ударил макушкой о камень. Лучше так.

Михаил увидел, нахмурился. Отложил клинок. В углу подвала выступал из полумрака стеллаж. Томский отошел туда, вернулся с дрелью. Сверло — огромное, по металлу.

Севины глаза наполнились несусветным ужасом.

Но инструмент завизжал рядом — сначала возле одного виска, потом возле другого. Акимова обдало цементной пылью.

А дальше Томский извлек откуда-то круглую скобу с двумя железными ушками, прижал ко лбу своей жертвы, двумя шурупами закрепил на стене, вокруг лба. Действовал, будто заправский слесарь, хотя прежде гвоздя забить не умел.

Равнодушно объяснил пленнику:

— Чтобы ты мозг сам себе не вышиб. В мои планы это нс входит.

Теперь Сева не мог пошевелиться вообще: голова прикреплена к стене накрепко.

А Томский аккуратно вернул на место шуруповерт и снова взял в руки нож.

«Дурак», — успел благодарно подумать Сева.

Приготовился вытерпеть еще одну, несусветную, но краткую боль, а потом — он потеряет сознание. Иначе быть не может. Человеческий организм милосерден. Потерпеть, совсем немного... И потом все, блаженная нирвана.

Он сжал зубы, собрал волю в кулак.

Но Томский, видать, прочитал надежду в его глазах. И снисходительно бросил в умоляющее лицо друга:

— Не надейся. Убивают кровотечение и шок. Но рану я тебе прижег, а дексаметазон, чтобы ты боль вытерпел, — сейчас вколю. Так что будешь чувствовать все до мельчайших деталей.

В безжалостных глазах Томского отразилась блестящая сталь ножа, и программист с удовольствием нанес своей жертве новый удар.

* * *

Ох, если бы Сева мог рассказать! Если бы только мог, если бы Томский ему позволил!

Он не хотел, в самом страшном кошмаре не представлял, что убьет Леночку и Кнопку. Он затевал всего лишь *игру*. Ну ладно, не игру. Испугать думал. Предупредить. Может, немножечко заработать. Кто знал, что все пойдет настолько не по плану?

Если бы Томский не помешался на своем чудодоме!

...Сева не понимал, не понимал решительно: как можно растрачивать гений, истинный гений на столь примитивные глупости. Самому рисовать планировку. Придумывать, как сэкономить электроэнергию. Стройматериалы самолично закупать!

Но Томский советы и упреки друга слушать не желал. Он хочет лучший в мире, самый необычный дом. И он его получит.

Деньги у программиста были.

Смог с предыдущих, удачно проданных компьютерных игр подкопить.

А что Севе делать? Львиная доля прибыли доставалась *творцу*. Он — жалкий *помощник* — лишь комиссию получал.

В руках у него, правда, все бразды правления их общей фирмой. Подконтрольный бухгалтер, электронная подпись, доступ ко всем корпоративным финансам. Но только с тех пор, как Мишаня увлекся своим строительством, денег на счетах фирмы не прибавлялось. Зато улетали они — на налоги, зарплаты, взятки — словно ветер стремительный.

И вместе с ними уносило *теплые чувства к когда-то другу*.

Наверно, стоило банально разойтись миром. Но слишком жаль Акимову стало тех долгих лет, что он положил на служение Томскому.

И обидно, что разбогатеть — на талантах программиста — ему так и не удалось.

Нет. Они, несомненно, разбегутся. Но прежде он должен получить свои дивиденды. Полной горстью.

Забрать свой профит с того, что нянькался с Мишаней. Терпел его мании и депрессии. Направлял. Успокаивал. Приносил на блюдечке с каемочкой клиентов. Деньги. Бытовые вопросы решал.

Но добром ведь Томский ему не заплатит.

А как выбить?

Хитрой комбинации, «чтоб сам отдал», у Севы не придумывалось никак.

Но дьявол велик. И охотно помогает — тем, кого гложет обида и зависть.

Однажды поздно вечером Сева, полностью в мрачных мыслях, возвращался из офиса.

У светофора начал дисциплинированно тормозить на желтый. На красный — остановился. А через две секунды ему въехали в зад. Удар оказался приличный: Акимов разбил нос о руль, в шее что-то хрустнуло, ребра отозвались болью. Хорошо хоть, что подушки безопасности не сработали.

Он, пошатываясь (в глазах плыло), вышел из своего «Мерседеса».

А сзади — ну точно как в народной байке — не «Запорожец», правда, но дряхленькая «копейка». «Морда» разбита полностью. Из-за руля никто не выходит — трясется, видно, водила от страха, что сейчас ему на голову бейсбольная бита обрушится.

«Если сейчас из развалины вылезет старичок — сам начну смеяться», — решил Сева.

Его накрыло эйфорией — головой, видно, стукнулся сильно.

Однако из разбитого авто-дедушки выбрался совсем молодой парень. Руки ходуном ходят, глаза дикие. Голову в плечи втянул, на Акимова смотрит с ужасом неприкрытым.

На сервисе слесари — столь же юные парни — называли Севин пятнадцатилетний «Мерседес» хламом. Но водителю «копейки» с нестоличными номерами, похоже, казалось, что попал он на многие, многие миллионы.

— Дяденька, — трясущимися губами выдавил парень, — простите!

Глаза у него косили. И алкоголем несло — за версту.

Сева улыбнулся парню (эйфория не отпускала):

— Ты, придурок, хоть сам понимаешь, что натворил?

А тот перед ним на колени бухается, руки заламывает:

— Дяденька! Только папе не говорите!!!

Тут Акимов не удержался, стал хохотать:

— А мамке можно?

— А мамке по фигу, — поморщился парень.

И к Севиной руке тянется, пытается поцеловать.

Тот брезгливо отстранился. Велел:

— Все, прекращай цирк. Я в ГАИ звоню.

Думал, мальчишка обрадуется, что не битой по башке и квартиру у него отбирать не будут, — а тот в слезы! И ревет по-настоящему, все лицо сразу мокрое, голова дергается.

— Дяденька! Но они ведь папке сообщат первым делом! А что я ему скажу-уууу?! Машина-то его! А я пьяныый!

Тут Севино веселье наконец иссякло — вместо него головная боль навалилась.

Обернулся на свой «Мерседес» — бампером, конечно, не обошлось, весь задок всмятку.

И рявкнул:

— ОСАГО есть у тебя, дебил?

— Батька брал вроде... в ларьке у ГАИ, — неуверенно отозвался парень. — Но я туда не вписан. И права у меня хотели за пьянку отобрать. Папка еле отмазал. Теперь, сто пудов, уроет.

К Севе со страшным скрипом возвращалась

способность соображать. Может, парень и врет, что в ОСАГО не вписан. Но, судя по одежонке, по машине жалкой, выходило: вчинять дурачку иск — дело тухлое, только на адвоката потратишься.

«Поставлю ночью «Мерседес» во дворе. А утром гаишников вызову. Денежку им дам, чтобы с гарантией. Типа, неустановленный автомобиль в меня въехал. И получу все по КАСКО».

А дурачок продолжает на коленях стоять. Все пытается уже не руки — одежду ему целовать:

— Дяденька! Давай с тобой по-хорошему! Миром договоримся! Без протокола!

— Давай, — сухо отозвался Сева. — Двадцать штук гринов за бампер — и ГАИ не вызываем. И бате твоему никто не звонит.

— Ой, ну где я тебе возьму столько. — Парень неожиданно сделал кокетливый, очень женственный жест.

— Ты еще и «голубой»! — брезгливо стряхнул его руки Сева.

— Нет. — Тот обиделся. — Я двустволка. С бабами тоже могу.

Прочитал в Севиных глазах искорку интереса и затараторил:

— И вообще все могу, если надо. Дурь перевезти. В суде выступить на вашей стороне. В морду дать. Все, что скажете. Я дурак, но честный. Навалял дел — готов отвечать.

— На базаре свои услуги продавай, — буркнул Сева. — А мне пиши расписку. На двадцать тысяч гринов. И паспорт сюда гони.

Дурачок послушно отдал документ. Сева тщательно проверил — вроде настоящий. Судимостей нет, зарегистрирован в дальнем Подмосковье. Мальчик — звали его Георгием Сазоновым — коряво, с ошибками, написал расписку. Приписал номер своего мобильника. И горячо заверил:

— Я не врун, не кидальщик, вы не думайте. Что попросите — то и сделаю.

Акимов ни секунды не сомневался: помощь блаженного (да еще пьянчуги и мужеложца) ему не понадобится. Себе дороже — с подобными связываться.

Он отпустил незадачливого гонщика на «копейке». Благополучно вернулся домой. Поставил машину во дворе. Рано утром вызвал ГАИ. И всего за сто баксов получил справку о наезде «неустановленного средства».

Страховая компания забрала «Мерседес» в ремонт.

А тем же вечером Томский позвонил и заявил: в июне он обещал своим девочкам переехать в Болгарию. Навсегда. Но дом еще не готов, дел по стройке — завал, поэтому, когда он напишет игрушку — неизвестно.

Сева попытался его образумить:

— Но у нас обязательства! Заказчики ждут!

Однако звезда программирования только фыркнул:

— А я тебе ни эникейщик[1], чтоб по заказу работать.

---

[1] На жаргоне компьютерщиков — специалист-универсал. Знает все, но по верхам, в программировании разбирается плохо.

И швырнул трубку.

Тут Севе и попались на глаза расписка и паспорт Георгия Сазонова.

И он немедленно полез искать парня в социальных сетях.

Обнаружил на удивление легко.

Мальчишка постоянно отирался в «Одноклассниках» и открыт был любому желающему. Со всех сторон.

Кокетничал с пожилыми дамами и с мужчинами. Хвастался, что может влегкую выпить три литра пива. Не скрывал, что по малолетству попал под суд: пытались с друзьями ограбить ларек. Получил условно, потом попал под амнистию — в итоге паспорт чистый, без судимостей. А работает (тут Сева вообще опешил) — водителем маршрутки! Да еще и зарисовки о пассажирах пишет. Зло, метко, с кучей ошибок. Клиентов своих ненавидел от души. Всех. Местных, приезжих, богатых, бедных, молодых, старых. Особенно его почему-то дети раздражали: «Когда ревут гаворю плати двойной тариф. Самый прикол мамаши часто дают!»

Тут-то Сева и задумался. А ведь чрезвычайно полезное знакомство, на самом деле.

Бог, что ли, ему мальчишку послал? Или дьявол?

* * *

Антишоковый укол не помог — Севкина голова поникла, глаза закатились.

Томский преодолел брезгливость, подошел. Залил раны Акимова антисептиком, наложил повязки. Здесь, в Европе, удобно. Специальные большие пластыри продаются — чтобы с бинтами не возиться.

Прислушался к дыханию врага. Приличное, ровное.

Пара часов — и можно будет продолжить.

Вышел из подвальной каморки, заглянул к следующей пленнице.

Галину Георгиевну трясло мелкой дрожью, лицо опухло от слез. Диск продолжал крутиться, бесконечно повторял и повторял ее же слова.

Выключить терзающий женщину голос? Сорвать с глаз повязку? Поработать теперь с ней? Увидеть ее раскаяние, отчаяние, страх?

Но настроения общаться с бывшей нянькой не было. И он просто захлопнул дверь.

На сердце паршиво.

Томский ждал от себя упоения местью. Не сомневался: когда эти двое окажутся в его руках, его накроет сумасшедшим восторгом.

Однако пока одолевала лишь усталость. И обида. Да, враги страдали. Но ему легче совсем не становилось.

Томский вышел из подвала, поднялся в дом.

Настенька увидела его окровавленную одежду, прикусила в страхе губу, но, умница, промолчала.

Боевой подруги Михаил не стеснялся — разделся догола прямо при ней. Бросил одежду на пол, велел:

— Сложи все в мешок, потом вывезем.

В спальне натянул чистое.

В окно косыми солнечными лучами стучался прелестный весенний закат.

— Прогуляюсь, — коротко бросил Томский Насте.

Заброшенную ферму в горах Альпухаррас они (по легенде — супруги) купили недавно. Испанский риелтор не скрывал радости, что сбывает с рук ветхое, с прогнившей крышей строение. Лепетал бессвязно:

— Прекрасное место! Исключительный воздух! В трех километрах деревня! Отремонтируете, освоитесь. Будете свиней разводить, хамон делать!

Риелтор, по счастью, так спешил сбыть с рук безнадежный объект, что не стал интересоваться: с чего вдруг двум явно не бедным россиянам забиваться в несусветную испанскую глушь?

Не слишком любопытным оказался и народ в ближайшей деревеньке. Здоровались, поглядывали с интересом, но с разговорами не лезли, хотя Настенька и лопотала весьма бегло на языке Сервантеса. А «безъязыкому» Томскому только кивали:

— Buenos dias!

...Но сегодня, когда он быстро, почти бегом спустился в селеньице, вместо равнодушно-приветливых встретили его исключительно мрачные взгляды. Мясник в ответ на «добрый вечер» взглянул пристально, подозрительно. Безобидные алкаши, курившие на пороге бара, сразу отвернулись, втоптали в пыль сигареты, ушли внутрь.

Но больше всего испугала стайка школьников. Очень *испанские* — носатые, черноволосые, расхлябанные, — они шли впереди. Постоянно на него оглядывались. И почему-то говорили по-русски:

— Вот он, буржуй. Благодетель. Пришел спасать нас. Придурок!

И все мешалось в голове: то ли весна в Испании сейчас, то ли подмосковная зима. То ли он на ферму возвращается, то ли с Кнопкой — совсем юной, испуганной — ведет ее подопечных детдомовцев в поход.

— Иди ты в одно место со своими подарками. Не нужно нам ничего! — Голоса детей звучали все громче, забивали гвоздики в мозг.

Томский растерянно оглянулся.

Теперь и пейзаж вокруг — гротесковый, странный. Беленый испанский домик, а рядом — почерневшая от времени изба. С вершины кривой, наполовину засохшей березы гикает ворона. За одним из оконцев хвалится розовыми боками хамон, за другим — почему-то пластмассовая елка, украшена дешевой гирляндочкой.

Михаил поспешно повернулся, оставил позади страшный, слившийся воедино мир. Прошлое и будущее. Правду и вымысел.

Побежал вверх — на ферму, в свой новый дом.

Слева вдруг мелькнул — он от удивления заморгал — кусочек Тверского бульвара. Выше, на горе, засветились огни — точно как на Монмартре. Справа засверкали миллионами искр фонтаны Белладжио из Лас-Вегаса.

Сжал голову руками, твердил себе: «Чушь! Мираж!»

Бог, что ли, старается его пленников защитить?

Лишить его разума, чтобы он забыл о них, отступился?!

Нет.

Томский доведет свою месть до конца.

В дом даже не зашел — сразу отправился в подвал.

Севка как раз успел очнуться.

* * *

— Миша, МИШЕНЬКА! Ну не хотел я их убивать!!! — из последних сил орал друг.

Томский отшвырнул нож — если не взять себя в руки, он прикончит его сейчас, не выдержит.

А добивать пока рано. Нужно прежде узнать.

Томский изо всех сил врезал кулаком жертве под дых, выкрикнул:

— А что ты тогда хотел?!

— Просто... просто испугать тебя, — блеял Сева. — Ну... и деньги... Я жесткую команду дал: как только бабки у меня окажутся, сразу твоих жену с дочкой выпустить... И предупреждал, чтобы все аккуратно, не нервировать, что у Кнопки сердце больное. Жорка поклялся. Он тоже не убийца. Обычный парень. И на мокруху подписываться не хотел. Так получилось...

* * *

Георгий Сазонов дядьке на «мерине» отрезал:

— Не. Я в такие игры не играю.

Мужик загоношился:

— Тогда по расписке плати. Или сразу твоему батяне звоним?

— Да куда хочешь звони. Я «вышку» получать не хочу, — буркнул Сазонов.

— Да это розыгрыш обычный! Типа первоапрельского!

— Ага. За который пожизненное дают, — упорствовал Жорик.

— Вот ты тупой, — начал возмущаться дядька. — Пожизненное дают, если заложников убивают, понял? А я тебя, наоборот, заклинаю, прошу: чтоб ни один волосок с их голов не упал. Просто засунешь в машину. Отвезешь на пару дней, куда скажу. Подержишь взаперти. Потом выпустишь.

— А они меня опознают.

— И опять дурак. Читай Уголовный кодекс. Если ты заложников освободил добровольно, уголовная ответственность не наступает, — авторитетно заявил дядька. — Так что искать тебя никто не станет. Кому ты нужен — опознавать еще тебя?

— Не, все равно не буду. За двадцать штук мараться? — твердо молвил Георгий.

— А за сто? — вкрадчиво произнес мужик.

— Сто чего?

— Сто тысяч долларов.

Жорик зашевелил губами — переводил в рубли. Получалось много. Очень много.

А дядька продолжал искушать:

— Естественно, твою расписку сразу рвем. Аванс дам прямо сейчас. И еще на расходы.

И пачкой пятитысячных шлепает.

Жора и хотел смолчать, но не удержался, прохрипел:

— Сколько тут?

— Полмиллиона. Наших, деревянных. Плюс сто тысяч долларов, когда дело сделаешь.

Офигеть. Машину можно прямо сейчас брать. И вискаря — хоть цистерну.

...*Дело* на первый взгляд никаких особых тягот не предвещало.

Мужик показал фотографии: тетка (лицо, Жорику показалось, малость придурочное). И девчонка восьми лет. Никакой охраны, в школу, на кружки мамаша водит дочку пешком.

— Не, у школ стремно. Там народу всегда полно. И камеры, — затревожился Жорик.

Однако дядька отмахнулся:

— Я уже все продумал. Прихватишь их по пути в театр. Через два дня. Вечером. Пойдем, маршрут покажу.

И самолично провел от дома, где жертвы жили, до метро. По пути объяснял:

— Вот это — прямая дорога к станции. Но все ходят наискосок, через поликлинику. Место проходное, шумное. И заезд туда свободный, ворота с двух сторон открыты. Номер тряпкой завесишь и притаишься под любым деревом.

— Ага, а как мне их в тачку затаскивать?

— Прояви смекалку, — хмыкнул мужик. — Но вот подсказка. Тетка раньше в детдоме работала, жалостливая. И девчонку так воспитывает. Помоги слабому, всякая такая хрень. Я сам видел — тут, в поликлинике. Они какую-то бабку с клюкой до дома провожали и сумки ей несли.

...Ну, хромым Жорик прикидываться не стал. А слепого, когда пришел час «Х», сыграл добротно. Чуть реально не растянулся носом в асфальт. Зато мама с дочкой сразу кинулись через подъездную дорожку переводить. Прямо к его машине. А тряпки хлороформом он загодя пропитал, положил поудобнее. Ни взрослая, ни девчонка даже пискнуть не успели. Затащил обеих на заднее сиденье, накрыл одеялками старыми — и вперед. Про симки телефонные тоже не забыл — вытащил из аппаратов и вышвырнул в окошко, под колеса грузовиков.

* * *

...А с каким невинным лицом Севка тогда плел: «Чего волнуешься? Гуляют они. Или в «Детский мир» пошли».

Томский от души влепил другу под ребра.

Захлопнул дверь в подвал. Вышел во двор, рассеянно огляделся.

Испанский тихий вечер. Медовый запах трав, гуденье пчел. Издалека, из деревни, доносится музыка. Искрится снежной шапкой гора Муласен.

Михаил рухнул лицом на землю.

Леночка, доченька ты моя! Что тебе вынести пришлось?!

Низко над ним летали, рвали сердце щебетом птицы. Не ласточки — какие-то местные.

Что ему сделать? Кому продать душу? Как вернуть своих любимых девочек сюда, в эту красоту?

Он вцепился ногтями в землю, грыз ее. Бился в жесткую траву головой. Ждал: вот сейчас плеча коснутся нежные пальчики. Леночка шепнет: «Папа, ну, что ты! Вставай!»

Вот сейчас, еще минуту!

Но никто к нему не подходил. И слышал он лишь беспечную птичью разноголосицу. Да от крыльца доносился тихий Настин плач.

* * *

...Когда Леночка пришла в сознание, то почти обрадовалась. Мама рядом, связаны только руки, причем некрепко, и за окном мелькают очень обычные подмосковные пейзажи.

Не все потеряно пока. Нужно спасаться, бороться. Только как?

Выпрыгивать из машины на ходу она не решилась. Мама испугается, да и правда опасно. К тому же голова еще дурная — чем-то отравил ее мерзкий парень, во рту кисло, тошнит, перед глазами все плавает.

Вскоре автомобиль свернул на ухабистую дорогу (кругом лес). Дальше — въехал в какую-то чахлую деревеньку. Кругом грязища, рухнувшие заборы, кривые избы.

И остановился.

Девочка чувствовала себя почти хорошо. Попыталась подбодрить улыбкой маму. Та — бледная до синевы — с трудом растянула губы в ответной улыбке.

Похититель заглушил двигатель. Вышел из-за

руля, открыл пассажирскую дверь. Неумело наставил на них охотничье ружье и приказал выходить.

Леночка осторожно осмотрелась. Еле удержалась, чтобы не фыркнуть. И это называется киднеппинг? Она читала: когда детей похищают, их держат в абсолютно укромных местах. За высоченными заборами. А тут — даже не во двор въехал, а остановился прямо на улице, у изгороди (наполовину рухнувшей). За ней — жалкий деревенский домик.

Но у мамы лицо испуганное. Шепнула дочери: «Делай, что он говорит».

Лена кивнула.

Однако, едва ее нога коснулась земли, вскрикнула:

— Менты!

И, хотя руки связаны за спиной, молнией ринулась прочь. В два прыжка выбежала со двора, оказалась на улице. Мчалась мимо домов и горланила:

— Спасите! Убивают! Пожар!!!

Она не сомневалась: кто-нибудь да выглянет ей навстречу. Даже в умирающих деревеньках должен найтись хоть один человек. Ветхая бабуля, пьяненький мужичок.

Однако сплошная тишина стояла — только топот от ее собственных лихорадочных скачков.

А дальше — вдруг грянул выстрел, и в полушаге от нее земля вспенилась маленьким взрывом.

Ничего себе сопляк! Он ведь почти в нее попал!

Но Леночка решила не пугаться. И сдаваться не собиралась. Метнулась влево, вправо. Она читала: когда мишень движется, прицелиться в нее гораздо труднее. Только бы мама тоже догадалась броситься прочь, в другую сторону! Парень сразу растеряется, и тогда...

Что тогда — додумать не успела. Снова грохнул выстрел, руку ожгло огнем. Больно, но не настолько, чтоб останавливаться. Но тут мама закричала сзади — истерически, жалобно:

— Леночка! Стой! Пожалуйста!

Этот гад, что ли, мамулю в заложники взял?!

Девочка резко затормозила. Обернулась. Ох, мам, да что с тобой? Стоит в нескольких шагах от бандита, и никто ее не держит. Да делай ты что-нибудь! Беги или выбей у него ружье!

Снова выстрел — пуля ударила совсем рядом.

— Лена, Лена! Вернись! — надрывается мама.

Девочка не выдержала — побежала назад.

А бандит на нее и не смотрит. Понял, кто тут слабое звено. Опустил ружье, обращается к матери:

— Следующей пулей я ее убью.

Женщина охнула. Стала оседать наземь.

Дочка — под усмешливым взглядом похитителя — подбежала к маме, прижалась к ней. А у той глаза закрыты, дышит тяжело. Неужели инфаркт? Папа всегда говорил, что ее нельзя волновать.

— Мама, мамуля!

— Леночка... — Женщина разлепила глаза.

— Развяжи мне руки, урод! — крикнула девочка похитителю.

Пусть он стрелял в нее и пусть чуть не убил — она все равно его не боялась. Нет, боялась, только совсем немного.

Но если у мамы опять будет плохо с сердцем — вот это реально страшно.

Парень легко, кошачьим шагом, подошел. Грубо схватил Лену за предплечье. Глаза желтые, злые, косят — один вправо, другой влево.

Поволок за собой.

— Доча! Делай все, как он говорит! — жалобно выкрикнула вслед мама. Язык у нее заплетался, голос звучал слабо.

Девочка с вызовом взглянула негодяю в глаза:

— Маме нужен врач.

— Будет, — хмыкнул тот. — Бабки за вас заплатят — будет вам и врач. И грач. И первач.

И захохотал противным тоненьким голоском.

Ввел в избу с разбитыми окнами, подтащил Лену к открытой крышке подвала, велел:

— Залазь.

Внизу — темно, страшно. Сыростью тянет, гнилью. Девочка инстинктивно сжалась.

— Можешь сама. Могу сбросить, — чуть не ласково предложил парень.

Достал нож — девочка отшатнулась. Но он всего лишь разрезал веревку, что стягивала ей запястья.

Не будь за их спинами, во дворе, беспомощной мамы! Она бы еще раз попробовала — ногой его в пах, как в компьютерной программе по самообороне, и бежать.

Но покорно спустилась в отвратительный склизкий подвал. Похититель сразу захлопнул люк, и стало совсем темно. Неужели он маму в другое место посадит?

Но нет. Загрохотали шаги, снова отворилась крышка. И мама — видно, что на ногах она держалась из последних сил, — скатилась по шатким ступеням вниз.

Похититель тут же вытащил лестницу. Равнодушным голосом произнес:

— В углу полазьте, там фонарик. Жрачка. Вода. Не помрете, короче. А как деньги за вас заплатят — сразу отпущу.

И снова захихикал.

Едва крышка закрылась, Лена в кромешной темноте, на ощупь бросилась к матери:

— Мамочка, что, сердце, да?

Обняла, прижалась, почувствовала: щеки матери мокры от слез.

А она так сама надеялась, что мама — всегда сильная, находчивая, смелая — ее утешит...

— Мамуля, пожалуйста, не плачь! — умоляюще произнесла девочка. — Мы выберемся отсюда. Обязательно выберемся. Выкуп за нас заплатят — и он отпустит. Или мы сами сбежим!

Она встала на четвереньки. Глаза потихоньку привыкали к темноте, и девочка стала обшаривать их тюрьму. Совсем крошечная, меньше кладовки. Вдоль стены — пустые полусгнившие стеллажи. А вот и фонарик нашелся, только светил еле-еле, батарейка, видно, совсем слабенькая. Но в неярком неровном свете видно, насколько бледное, изможденное у мамы лицо.

— У тебя лекарства с собой? — бросилась к ней девочка.

— В сумочке... были, — горько усмехнулась мать. — А она в машине осталась.

— Черт, надо потребовать у него! Эй! Ты! Придурок! — громко закричала Лена.

Мама сразу сжалась, произнесла жалобно:

— Пожалуйста, не дергай ты его больше! Я как-нибудь справлюсь. Сейчас, посижу немного, и все само пройдет.

Но девочка отодрала от стеллажа висевшую на одном гвозде гнилую доску, начала стучать в стену, требовать:

— Открой! Открой немедленно!

— Леночка, — вздохнула мать. — Ты зря тратишь силы.

— Но ему что — жалко дать нам лекарства?!

— Ему просто плевать, — горько молвила женщина. — Он в стельку пьяный.

Голос мамы становился все тише:

— Сейчас... я посижу немного, и все само пройдет, само...

Хотела сказать что-то еще, но закашлялась.

— Мама! — жалобно закричала дочка.

Но Кнопка ее не видела.

Только черная, страшная, рвущая грудь боль.

И больше — ничего.

А Жора в это время сидел во дворе. Наливал себе дрожащими руками очередной стопарик. Нервное оказалось дело. Нехорошее.

Но заказчик должен быть доволен: он сделал все, что тот велел.

Или не все?

Какая-то мысль болталась в голове. Волновала. Тревожила. Позвонить, что ли, шефу? Уточнить?

Но тот, стопудняк, поймет, что он пьяный. Разорется.

Ладно, все фигня. Девки в подвале. Это главное.

И Жорик с трудом — телефонные кнопки расплывались — отправил заказчику сообщение: «*Фсе гатово*».

* * *

Сева заранее продумал, как надо будет вести себя с Томским.

Тот — упрямейшее существо в мире. Акимов за долгие годы их знакомства усвоил сей факт прекрасно. И потому не сомневался: чем больше он будет убеждать Михаила обратиться в полицию, поискать *врага* в ближайшем окружении, тем яростнее программист станет возражать. Нужно только тупо повторять: «Не плати. Их все равно убьют».

Томский тогда точно послушным *ботом* (так, кажется, называется робот в компьютерных игрушках?) пять миллиончиков соберет. И отнесет доллары, куда ему скажут.

А вот дальше начинался риск. Много рисков.

Как ему безопасно получить деньги?

Как припугнуть Жорика, чтобы тому и в голову не пришло тикать со всей суммой?

Ну и самое главное: как не попасться?!

Сколько людей сыплется — глупо, неожиданно, случайно.

...В соответствии с планом Акимова деньги Томский должен был отнести в камеру хранения на вокзале. Шифр от сейфа сообщить Жорке. Дальше Сева планировал убедиться, что все пять миллионов в наличии, и велеть парню, чтобы заложников немедленно отпускал.

Самым надежным было сходить за чемоданом самому.

Спасибо, Томский с ним — с другом — поделился, что во всех камерах хранения имеется видеонаблюдение.

Значит, придется отправлять туда Жорика.

Акимов, после долгих раздумий, рассчитал своему напарнику маршрут.

Сазонов загодя приезжает в Мытищи, оставляет там свою новую «девятку».

Пешочком топает на автобус до Москвы, потом едет на метро.

В ноль тридцать является на вокзал, забирает из камеры чемодан. Ловит последнюю электричку в ноль пятьдесят четыре. На станции Мытищи выходит. Садится в машину, едет до деревни Высоково. После нее, у лесочка, останавливается по малой нужде. Оставляет на обочине чемодан. И дальше отправляется в деревню Веселое. Туда, где содержатся пленницы.

Пока Жорик в пути, Сева пересчитывает деньги.

Если все в порядке — дает напарнику отмашку: просто отпереть погреб и тикать.

А как быть, если что-то пойдет не так, Акимов и сам не знал. Что он станет делать, если Жорик смотается? Или его повяжут? Или если в чемодане окажется, допустим, резаная бумага? Велеть тогда своему помощнику убивать беззащитных женщин? Мочить их самому?.. Даже подумать было страшно.

Ладно, сообразим по ходу.

Сева приехал в Мытищи. Свою машину оставил на парковке возле вокзала. На автобусе добрался до деревни Высоково. И углубился неподалеку от нее в лес. Оставалось лишь ждать, покуда Жорик, как птичка в клювике, принесет ему чемоданчик с богатством.

Поначалу Севе казалось: прекрасный план. Отличная конспирация. И вообще все пройдет как по маслу.

Но чем дольше он сидел в лесу у деревни Высоково, тем больше слабых звеньев в своем логическом построении находил.

Вдруг Георгия в камере хранения повязали?

Вдруг взяли, когда он садился в электричку в Москве? Или когда выходил из нее в Мытищах? И сейчас он вовсю дает показания против него?!

Или Жорика вообще никто не повязывал. Хитрый парень чемодан взял. Но поехал с ним не в Высоково, а совсем в другую сторону. Зачем довольствоваться малым, если можно забрать все?

И конспирация получилась ни к черту.

Зачем он — идиот! — бросил машину под кучей видеокамер, на вокзальной парковке? Да, здесь, в лесу, его никто не видит — но дальше-то что?! Как ему отсюда выбираться — что с чемоданом, что без него?

В итоге к половине второго ночи Севу колотила

крупнейшая дрожь, и он глазам своим не поверил, когда на обочине остановилась Жорикова машина.

Сазонов медленно — очень медленно — вылез из «девятки». Справил малую нужду. Потом выставил на обочину чемодан. И поехал дальше.

«Это подстава! Только я подойду — налетит ОМОН! — в панике думал Акимов. — Или там никаких денег, бумага... Или...»

К обочине стала прижиматься старенькая «копейка».

Сеня облился холодным потом. Ночь летняя, светлая. Он хорошо видел: машина ехала прямехонько на чемодан... задела его передним колесом, уронила.

Остановилась. Акимов прокусил губу до крови. Из открытого окошка донесся пьяненький женский голос:

— Ну Шами-ииль! Тут ведь видно все!..

И «копейка», взревев, рванула дальше.

А Сеня, торопливо и пугливо, как заяц, ринулся к обочине. Схватил чемодан, прижал к груди. Бросился обратно в лсс. Трясущимися руками открыл. Увидел деньги.

И, с трудом шевеля ногами, побрел через лес в Мытищи.

...Потом он тысячу раз себя спрашивал: зачем было мудрить? За каким дьяволом он забился в лес? Хотя мог ждать в том же Высоково, на машине, допустим, у ресторана?

И почему он не позвонил Жорке сразу, как увидел, что с деньгами все в порядке?

Но в голове метались бредовые мысли: сначала

рок его «Мерседеса» запомнил, да и в расписке черным по белому написано, что должен он денег Всеволоду Семеновичу Акимову. И если Всеволод Семенович *нанимает* его похищать людей — пусть за это платит, и хорошо платит, как иначе?

...Но вот до деревни Веселое всего пять километров осталось, хорошая дорога кончилась, сплошные ухабы пошли, а шеф все не звонит. И самому ему набирать — строго не велено. Эх, надо было, пока чемодан при нем был, самому там покопаться. Свою долю забрал, на душе сразу спокойнее.

Молочно-кислый туманный рассвет. Деревня Веселое вся в дымке, птицы галдят, воздух свежий. Сколько эти две в подвале-то просидели? Жорик начал считать. Получилось, двое с половиной суток. Немало. Ух, там и вонища, наверно, теперь!

С шефом договоренность: когда тот позвонит, просто отпереть крышку подвала. И тикать.

Может, так и сделать — прямо сейчас?

Но если с деньгами подстава?

Жора въехал во двор. Заглушил двигатель. Вышел из машины. Сел на разломанную скамейку. С наслаждением открыл бутылку виски. Глотнул. Плевать, что мозги сейчас затуманятся. Дело — даже не одно, два! — он выполнил. Блестяще. Пленницы в подвале. Деньги у босса.

А телефон по-прежнему как мертвый. Молчит, зараза!

Парень сделал еще один громадный глоток и решил наплевать на Севины указания. Сам набрал его номер. Вне зоны действия. Неужели глупый человек надумал все денежки прибрать и скрываться?

Жорик снова приложился к бутылке, и в голове сразу новая мысль: а вдруг заказчик уже отпустил пленниц?

В любом случае надо проверить, что там в подвале.

Он наконец вспомнил: Сева предупреждал его, что у женщины сердце больное. Чтобы аккуратно все, культурно. А у него из головы вон. Когда мелкая вдруг удирать начала, взялся из ружья по ней палить. На глазах у матери. Эх, да! Это он лоханулся! Правильно батя говорит: «Ты, Жорик, когда пьяный — совсем дурной». Ну, ничего. Бабы — они живучие.

Жорик с наслаждением прикончил бутылочку. Встал. Убогий деревенский домишко покачнулся, но быстро вернулся на место. Нормально все, он в прекрасной форме. Только руки, заразы, дрожат. И в голове одновременно хорошо и тревожно. Чего-то еще не сделал он. Ах да! Ружье. Оно прямо тут, в домишке. В шкафу, под грудой тряпья. Надо взять на всякий случай. Вдруг девчонка опять буйствовать будет?

Достал, зарядил. Стукнул ногой в крышку подвала. Настроение игривое, с языка сорвалось:

— Красавицы мои! Я к вам пришел!

Отпер засов, но крышку поднять не успел. Она ударила его сама. Да с такой силой, что он к стенке отлетел.

Девчонка. Грязная, встрепанная, лицо зареванное.

Выбирается из подвала — вид ну точь-в-точь как зловещий мертвец.

Лестницу, что ли, себе построила? Ну да, там ведь были стеллажи. Молодец. Находчивая.

Даже интересно понаблюдать, что сейчас делать будет? Опять убегать?

Жорик снисходительно улыбнулся.

Но девчонка, вместо того чтобы спасаться, кинулась к нему. Глаза безумные. Налетела, словно бешеная кошка, вцепилась когтями в лицо. Орет:

— Мама! Ты ее убил, убил!!! Она мертвая!

Силища немереная, вытолкала его из дома в огород. Продолжает вопить:

— Сволочь! Гад! Я ведь просила тебя: дай лекарства!!!

Жора забеспокоился. Какие еще лекарства? Не слышал он про них ничего. Мало ли, что из подвала орут? Стены там толстые.

А малявка — совсем сдурела! — хватает ружье, которое он из рук выпустил. И прямо в него целит!

— Ты мою маму убил!

— Эй, эй, — Жора по инерции продолжал улыбаться. — Подожди!

Но дурында малолетняя жмет на курок. Хорошо, предохранитель не заметила.

Двор, домик, деревья снова качнулись, уже сильнее. Но парень смог взять себя в руки. Сфокусировал взгляд на оружии, вырвал его из девчачьих рук. А малявка в его запястье зубами вцепилась. И пытается ружье обратно выхватить.

Брызнула кровь — его кровь. Перед глазами поплыло. Но он успел увидеть: с предохранителя оружие слетело. Видно, в пылу борьбы. И дуло сейчас направлено — как раз в грудь малолетке.

— Осторо... — хотел сказать он ей.

Но в этот момент она боднула его головой под руку.

Утреннюю благодать взорвал выстрел. Девчонка взглянула на него обиженно — и кулем рухнула на траву, лицом вниз. Сначала крови было немного, но очень быстро натекла целая лужа.

И в этот момент зазвонил телефон.

Сева, не сводя глаз с недвижимого тела девочки, достал аппарат.

Звонки, звонки.

Нажать на «прием» не мог — руку свело. И все надеялся: вдруг малявка зашевелится? Оживет?

Однако тело лежало кулем, и Жора вдавил наконец зеленую кнопку.

Из телефона донесся радостный голос заказчика:

— Ты в Веселом, надеюсь? Молодец. Ну, все отлично. Отпирай подвал и тихонько уезжай.

Жора молчал.

Горячая кровь на прохладном утреннем воздухе исходила паром, ползла ядовитой змеей к его ноге.

— Эй, Жора! — возвысил голос Акимов. — Ты меня слышишь?

— Да... — прохрипел тот. И шепотом добавил: — Но у меня тут этот, как его... форс-мажор.

* * *

Сева только потом подумал, что говорили они по обычному телефону. И кто угодно — хоть менты, хоть безутешный Томский — могли на аппарат поставить прослушку.

Но тогда, ранним июньским утром, страх охватил его настолько всеобъемлюще, что Акимов не думал вообще ни о чем. И не представлял ничего, кроме лица Михаила, когда тот узнает, кто именно и как погубил его любимых жену и дочь.

А Жорка все бормотал:

— Девчонку я случайно. Она сама. А мамашка, видно, прямо сразу скопытилась. Сразу, как я их привез.

Пауза, всхлип.

Явно лживое заверение:

— Хотя лекарства я ей туда, в подвал, кинул. Не помогло, наверное.

— Заткнись! — наконец взорвался Акимов.

И Жорик послушно замолчал. А через секунду забубнил новое:

— Ну, че, че теперь делать? Только с повинной идти. Как думаешь, сначала ментам позвонить? Или самому поехать? Или побегать немного? Так все равно возьмут — сегодня, максимум завтра.

Да. Убийц детей и женщин у нас ищут быстро. Шансов спрятаться нет.

Странно, но полицейских, следствия Акимов почти не боялся. А вот лицо Томского — в момент, когда тот *узнает,* — все время стояло перед глазами.

И Акимова сковал дикий, просто дичайший страх. Нет! Нет! Нельзя признаваться! Под самыми адскими пытками надо отрицать, что именно он — виновник похищения и гибели Кнопки и Леночки. Не страшно, что суд будет. Что огромный срок дадут. Ужас — кошмарный, невыносимый — месть

Томского. Ничего катастрофичнее просто не может быть.

И вот дело удивительное!

Сева всегда считал, что двигатель прогресса — жадность, стремление к наживе.

А оказалось — страх куда действеннее.

По крайней мере, сейчас, впервые с момента похищения, мозг у него заработал хладнокровно и четко.

Даже приятно стало — на фоне нытья напарника.

Акимов сосчитал про себя до пяти и абсолютно спокойным тоном сказал Жорику:

— А какой тебе смысл — идти с повинной? Ну, скостят тебе с пожизненного до двадцатки — большая, что ли, разница?

— Так я объясню им... — заблеял парень. — Что я не хотел, что девчонка сама...

— Сама себя в подвал запихнула? — усмехнулся Сева. — Нет, милый. Если и докажешь, что случайно убил, похищения тоже достаточно, чтоб высшую меру схлопотать. Так что не надейся. Чистеньким не останешься.

— Но это ведь все ты, ты! — истерически взвыл парень. — Ты придумал, меня заставил!

— А ты похищал. Запихивал в подвал. Забирал деньги. Убил. На «вышку» очень даже хватит. Кстати, — оборвал поток обличений, — пойди, сходи в подвал, посмотри, что там с мамашей.

— Я бою-юсь! — хныкнул парень.

— Иди, говорю! — рявкнул Сева.

И сработало — дурачок послушно заковылял, заскрипели ступени...

Через пару минут доложил:

— Мертвая. Холодная. Лицо синее.

— Сердце, — подытожил Акимов. — Говорил я тебе: ее не нервировать.

— А я че? Я ее пальцем не тронул, все культурно! — возмутился парень.

— Все, культурный. Умолкни, — оборвал его Сева. — Давай, вытаскивай труп из подвала, волоки куда-нибудь на жару.

— Зачем?! — изумился дурачок.

Сева пока знал лишь одно — так надо. Так будет лучше. Но, чтобы мотивировать парня, начал фантазировать на ходу:

— Чтобы тело разложилось быстрее. Чтобы время смерти было сложно определить.

— А отпечатки?! — взвыл парень.

— Стирай их, дебил! Бери мокрую тряпку и стирай! Отовсюду! С перил, с ружья!

— Я не буду! — истерически завизжал тот. — Я сдамся! И скажу *им,* что ты, ты все это придумал!

Но чем больше психовал исполнитель, тем спокойнее и увереннее в себе становился Акимов. Даже усмехнуться получилось:

— Жорик, да делай что хочешь. Не забывай только, что парень ты совершеннолетний, дееспособный. За свои поступки сам отвечаешь. И самое главное: ты чего нас хоронить спешишь? Нас кто-то видел? Поймал?

— Нет, но...

— А раз нет, значит, и каяться рано, — отрезал Акимов. — Нас никто ни в чем не подозревает. Не обвиняет. И я от своих обещаний не отказываюсь. Получай свои деньги и убирайся, богатый и свободный.

— Но... ведь два трупа... Менты на уши встанут, чтоб нас найти!

— А ты беги быстрее, чтоб найти не успели, — велел Сева. — Тело матери вытащи, пристрой где-нибудь на участке. Отпечатки свои с ружья сотри, потом дуй из деревни прочь. И жди меня, где договорились.

* * *

Сева нажал на «отбой».

Задумался долго, глубоко.

Да, убивать в его планы совсем не входило. Но — удивительно! — раскаяния он не чувствовал. Наоборот, некоторое злорадство. Что теперь-то везунчик Томский окончательно сломлен.

А еще — Сева был собой горд.

Похищение получилось — не шедевр. Но кое-что было сделано грамотно. Ружье *самого Томского* — отличный, как теперь оказалось, ход!

Оружие ведь все равно было нужно.

А организовать квартирную кражу у партнера по бизнесу куда безопаснее, чем ему, тюфяку, покупать огнестрельное на черном рынке. Или поручать это тонкое дело Жорику.

В итоге мы имеем...

Психически неуравновешенный (любой подтвердит!) программист.

Его мертвые жена с дочерью.

Глухая деревня.

Ружье, принадлежащее Томскому.

Еще раз.

У Томского с головой проблемы. Плюс бизнес не ладился. А жена (как все бабы!) хочет бриллиантов, машин, жизни сладкой.

Ну, или развода.

Он отпускать ее не хочет. Они ссорятся. Кнопка хватает дочку и убегает. В глухую деревню. Томский — за ними. У него есть ружье.

Оба мертвых тела теперь на участке. Правильно он Жорику велел — труп Кнопки вытащить. А в подвал, может, никто и не заглянет.

Да все просто супер!

Еще бы свидетеля одного...

Ну, и Жорика заткнуть.

* * *

Галина Георгиевна — с подачи брата — работала у Томских почти девять лет и все эти годы своих хозяев искренне ненавидела. За что? Сразу не объяснишь. На первый взгляд порядочные, обращаются уважительно, платят нормально.

Но только она четко чувствовала людей и разделяла их на два лагеря: тех, кому положена прислуга, и тех, кому нет. Томские, пусть денег имели достаточно, к барскому сословию, безусловно, не относились.

Галина Георгиевна попала в семью программиста в драматичный момент. У Михаила только что родилась дочка, а мамашка, вместо того чтоб дите вскармливать, свалилась с сердечной хворью. Глава семьи в одиночку забрал ребенка из роддома и пару дней пытался младенчика нянчить самостоятельно.

Когда на третий день его самостоятельного хозяйствования в дом пришла Галина Георгиевна, попа у девочки была вся в опрелостях, на лице сыпь, глазенки закисли.

— Видите ли, я программист, — смущенно обратился к ней Томский, — и совсем ничего не понимаю в детях.

Галина Георгиевна взглянула на него сочувственно. И подумала: как бы хорошо стать в этой семье пусть не родной, но любимой и незаменимой.

Не удержалась. Погладила молодого отца по плечу. Произнесла ласково:

— Пойдите поспите. Теперь все будет хорошо.

Любой бы, может, смутился. Или бы спасибо сказал.

Но Томский с видимым отвращением стряхнул ее руку. И произнес брезгливо:

— Никогда больше меня не касайтесь.

...Пока мамаша прохлаждалась в больнице, Галина Георгиевна отдраила всю квартиру. Откормила главу семейства. Наследницу Леночку превратила в пухлощекую красавицу.

Женушка (которую муж почему-то именовал Кнопкой), когда выписалась, в изумлении на пороге застыла. Повела носом, пробормотала:

— Даже воздух другой стал.

— Еще бы! — свойски улыбнулась ей Галина Георгиевна. — Ты сколько пыли скопила!

И Кнопка — нет бы одернуть! — вдруг ужасно смутилась, начала оправдываться:

— Да это все из-за беременности, измотала она меня! Но сейчас я все уберу, обещаю!

— Да теперь-то чего убирать! — отмахнулась Галина Георгиевна. — Теперь у вас я.

И работала у новых хозяев на совесть. Домработницей, кухаркой, няней — в одном лице. А те... Нет, и хвалили. И платили вовремя. Но все время ощущение не покидало: тяготятся они, что в доме чужой человек. Все трое.

И Леночка, хотя Галина Георгиевна неутомимо девчонке пела, меняла погремушки, таскала на руках, явно радовалась, когда из рук няни ее брала мать. Хотя уж Кнопка-то точно не знала, с какой стороны к ребенку подойти, как развлечь. Стишки Чуковского и читала — это трехнедельной! А когда девочка плакала, вместо того чтоб укачать, начинала сама реветь. Вместе и завывали, дурынды.

А Томский — поди разбери, что этим мужикам нужно! — частенько просил свою ледащую супружницу ему сосисок сварить. Хотя в холодильнике — свежайшие, по всем правилам пожаренные отбивные.

Галина Георгиевна — есть ведь у нее и собственная гордость! — от неблагодарных даже уходить собралась. Да братец Севка отговорил:

— Ну куда ты, Галка, пойдешь? В горничные сейчас все больше филиппинок берут, от нянек педобразование требуют. И хозяева куда хуже бывают. Обматерить могут, графином в голову швырнуть. А тут — не любят тебя. Тоже мне, аргумент! Если считаешь, что мало платят, так и скажи. Я Томского заставлю тебе зарплату прибавить.

— А чего это ты, Севочка, такой красноречивый? — подозрительно спросила Галина Георгиевна. — Будто надо тебе, чтобы я именно здесь работала?

Акимов запираться не стал. Вздохнул:

— А я и не скрываю. Мне свой человек в их семейке не помешает. Потому что я Томского тоже не понимаю. А завишу от него куда больше, чем ты. Потому прошу тебя по-родственному: приглядывай там за ними. Прислушивайся. Будет что интересное — рассказывай. Отблагодарю.

— Можно подумать, они при мне свои дела обсуждают, — поджала губы домработница. — Если войду случайно, сразу молчок. А чего ты узнать-то хочешь?

— Мишка меня беспокоит. — Акимов изобразил на лице тревогу. — Я понимаю, конечно, он гений, причуда на причуде. Но слишком уж часто у него настроение меняется. То веселый, то смурной. То работает, как черт, а то часами сидит, в одну точку смотрит. У него с головой всегда проблемы были. Боюсь, как бы совсем худо не стало.

Галина Георгиевна фыркнула:

— Да по-моему, по нему давно дурка плачет. Знаешь, какие иногда истерики устраивает? Только Кнопка и может утихомирить. И дочку он свою как-то странно любит.

— Ты что имеешь в виду? — насторожился Сева.

— Да нет, не в том смысле, что щупает, — отмахнулась она. — Ленка для него — икона. Даже на принтере распечатал: Божья Матерь, а лицо — Ленкино. Кнопка ругалась, хотела выбросить, а Томский все равно у себя в кабинете поставил.

— М-да, сильно! — оценил Акимов. — А на Запад Томский сбежать не собирается? Ты ничего не слышала?

— Пока не обсуждали, — уверенно покачала головой Галина Георгиевна.

— Но ты все равно, — вкрадчиво молвил Сеня, — присматривай за ними. Может, когда какой документ интересный увидишь. Случайно. Конечно, случайно!

Поручение брата Галину Георгиевну ни капельки не смутило. Ей и самой интересно, чем эти скрытники живут. Стала еще внимательнее наблюдать, приглядывать. И когда Томские стали впервые обсуждать при ней *Дом мечты,* немедленно доложила Севке. Еще и добавила обиженно:

— Именно *умный дом* хотят. Обязательно все на электронике. А прислуга чтобы глаза не мозолила.

И дальше продолжала сообщать, каких строителей наняли, сколько заплатили за фундамент. Вошла во вкус, фотографировала счета, проекты. Передавала «шпионские данные» Севке.

Тот хвалил. И деньжат подкидывал. Хотя Галина Георгиевна понимала, никаких особых тайн она не раскопала. Томский от Акимова и не скрывал, что дом в Болгарии строит.

Зато *секретное задание* чрезвычайно сдружило

их с двоюродным братом. Однажды Галина Георгиевна даже расчувствовалась, сказала:

— Я тебя, Сева, всегда считала (смутилась, покраснела) простеньким таким, недалеким.

— Пустым местом, короче, — ухмыльнулся он.

А Галина Георгиевна с уважением погладила его по плечу:

— Но ты, брат, еще как хитер!

Ему было приятно признание сестры. И когда обдумывал похищение и выкуп, даже мысль пришла в голову: взять ее в долю. Но потом от идеи отказался. Чем больше людей втянуто, тем выше риск. Да и делиться не хотелось.

Однако сейчас, когда все пошло наперекосяк, двоюродной сестрице нашлась отличная роль.

Кто, как не няня, постоянно живущая в доме, сможет подтвердить, что Томский с Кнопкой жестоко ссорились? Что жена хотела забрать дочь и уйти, а муж грозился ее за это убить.

А похищения вообще никакого не было. Сева был уверен: Томский ни с кем, кроме него, ситуацию не обсуждал, подтвердить его слова никто не сможет.

Значит, что?

Просто бредит Михаил. Или специально сказку придумывает, чтобы от себя подозрения отвести.

О'кей, пока убедительно. Особенно, когда Галка с ним в одну дудку споет.

Но только все равно не хватает. Главного штриха, вишенки на торте.

Как это: Томский жену с дочкой убил, а сам даже показать не сможет, где трагедия случилась?

Тем более ружье на месте преступления — *его собственное!*

Значит, нужно, чтобы он туда поехал! Своими глазами увидел трупы дочери и жены. Еще и за ружье бы схватился — а что, Томский дурак, с него станется! Ну а если достанет ума не трогать, все равно «Беретта» по документам ему принадлежит! Мало ли, что он о краже заявлял. Может, наврал. Специально. Загодя преступление планировал.

Что будет дальше?

Вариантов два. И оба для Севы — чрезвычайно удачные.

Или Томского арестуют за убийство.

Или у него банально сорвет крышу. С врачами, кстати, надо будет поговорить, может быть, денег дать. У него их теперь много.

...И Акимов блистательно завершил свою спецоперацию.

Отправил Мишке с анонимного интернет-ящика координаты деревни Веселое.

Договорился обо всем с Галиной. Та с восторгом согласилась его поддержать, а он передал ей сто тысяч долларов. Деньги, что предназначались Сазонову.

Дальше встретился с Жориком. Напоил его — до положения риз.

А когда парень уснул, закатал ему рукав и сделал укольчик. Промедол. Тройная доза. Алкаши — они такие. Сначала пьют, а потом на наркотики переходят, чтобы ощущения были острее.

Плану «А» — похищению — можно поставить твердую «тройку».

Зато план «Б» — подстава — оказался исполнен на высший балл.

...А Томский с окровавленным ножом в руках — это просто сон. Сейчас Сева проснется и окажется, кем и был. Здоровым, независимым и счастливым жителем свободной Европы.

* * *

Кнопка сидела в кресле. Так, как она любила: ноги свесила с подлокотника, голову уложила на спинку.

Леночка вилась рядом, посмеивалась над мамой:

— Ты на кошку похожа!

— А ты на котенка! — улыбалась в ответ Нина Васильевна.

И дочка полезла к маме — ласкаться.

Теперь обе на кресле взгромоздились, девочка подставляет ушко, мама чешет, на два голоса мурлычат. Соревнуются — кто громче.

— Я — стрррашная тигрица! — заявляет дочка.

— А я камышовая кошка, хитрая и коварная, — улыбается мама.

— Эй, зоопарк! — хохочет Михаил. — Хватит кресло ломать!

Но девочки его выглядят настолько умиротворенными, радостными, что не выдерживает сам. Плюхается на пол у их ног. Кладет голову Кнопке на колени, шепчет:

— Как я счастлив, когда вы рядом!

Чего-то, правда, не хватает для полной идиллии. Из окна видны зеленые поля, а вовсе не море.

И обои в гостиной совсем не те, что они все вместе выбирали. Почему они не в своем доме? Путешествуют? Или у кого-то в гостях?

Еще странность в картинке.

Кнопка с Леночкой, пусть улыбаются, но очень бледненькие, почти бесплотные. И ежатся зябко, хотя в комнате тепло, пылает камин.

Девочка тяжело вздыхает:

— Мам, мне все время холодно!

Кнопка пытается подбодрить дочь:

— Зато здесь червей нет. Разве мало?

— Червей? Каких червей? — вскидывается Томский.

Но ответа услышать не успевает. Входная дверь хлопает, и его любимые *кошка с котенком* мгновенно тают, растворяются в воздухе.

Кресло теперь пусто.

Зато на пороге совсем другая фигура. Крепкая, земная. Ядреная, с румянцем во всю щеку. Эта уж явно проживет на земле еще долгие годы.

Настя. Хотя он давно запретил ей сюда входить.

— Что тебе надо?! — в ярости бросается на нее Михаил.

В последнее время помощница вела себя почти идеально. Все ее глупости: инициативы, советы, комментарии, идеи — он подавил на корню. Анастасия является, лишь когда он велит, и делает только то, что он скажет.

Но почему она посмела выйти из повиновения — опять?

Томский за последние месяцы привык: в Настиных глазах — постоянный страх. Они и сейчас испуганные, прямо *дрожат*.

Но голос — решительный, твердый.

А в руках... в руках пистолет. Да что себе красотка позволяет?!

Пошел на нее решительно — не испугалась. Вскинула оружие, наставила на него. Дрожащим голосом произнесла:

— Он заряжен. Я выстрелю! Еще шаг — и стреляю.

Он шагнул без раздумий.

По ее щеке скатилась слезинка. Шепотом попросила:

— Пожалуйста, послушай меня. Два слова.

Томский отвернулся от нее. Ожесточенно пнул кресло. Пустое. Теперь — пустое. Из-за нее.

Настя сочувственно прошелестела:

— Я понимаю. Там были... Леночка и Кнопка?

— Да! Да, черт побери! А ты пришла и спугнула их.

— Миша, — горько усмехнулась Настя. — В прошлый раз, когда ты вышел из подвала, — здесь, в комнате, — ты нашел их трупы. Расчлененные на куски. Их терзали грифы. Помнишь, как ты кричал?

Он сморщился от тяжкого воспоминания. Решительно выкрикнул:

— Но сейчас они были живые! Настоящие! Леночка сидела у мамы на руках...

Настя крепче сжала пистолет в пальцах:

— Миша. Ты все прекрасно понимаешь. Это снова была галлюцинация.

— И что? — взорвался он. — Что с того?! Я уже давно безнадежный псих, мы оба это знаем.

— Эх, Томский. — В ее голосе звучало презрение. — Как это просто. Сказать: «Я — псих». И снять с себя всю ответственность.

— Ты мне предлагаешь что-то иное? — Он иронически вскинул бровь.

— Да, черт возьми! — взорвалась она. — Да! Я тебе предлагаю: забыть о проклятом подвале. Потому что отправляешься ты туда почти нормальным. Но выходишь — полностью сумасшедшим.

— Но я и есть... — начал он.

— Нет! — перебила она. — Нет, пожалуйста! Не повторяй! Твое безумие можно контролировать. Ты сам можешь. Пока ты просто искал их, пока все планировал — ты был нормальным! Адекватным, умным! Ты начал сходить с ума, только когда они попали в твои руки. Эти двое — Сева и Галина! Ты думаешь, что мучаешь их. Но на самом деле — ты уничтожаешь себя.

— Я обязан, — сузил глаза Томский. — Я *воздаю своим врагам по делам их.*

— Ты уже воздал! — умоляюще выкрикнула Настя. — Воздал достаточно. Пожалуйста, Миша. Остановись. Не ради них — ради себя.

— Никогда, — твердо произнес он. — Мои любимые теперь приходят ко мне. Хоть какими-то — но приходят. Каждый день.

— Томский, ты дурак. — Пистолет в руках Насти ходил ходуном. — К тебе приходят не жена и дочь. К тебе приходят призраки. Зло. Посланцы из ада. А хочешь, скажу, что будет дальше? Дальше — ты убьешь своих жертв и станет еще хуже. Они станут являться к тебе — уже вчетвером.

Настя опустила оружие и жалобно произнесла:

— Не убивай их, Миша. Поверь. Будет только хуже.

Наивная девочка. Произнесла свою речь и ждет благотворного эффекта.

На, получай.

Он вырвал из ее рук пистолет, отшвырнул в сторону.

Дальше — залепил ей пощечину. От души — в другой угол комнаты отлетела.

Подскочил к застывшему на полу телу и прошипел:

— Ты не забыла, Настя? В подвале есть третья комната. Будешь меня злить — сама туда пойдешь. Поняла?

* * *

Ночи в горах накатывали внезапно — как тошнота, как смерть. Только что в черном небе пробивались пурпурные всполохи, полумрак красиво выстилал лужайку, будто выпускали дым на театральных подмостках. Торопились досказать свое птицы, отчаянно вкусно пахли цветы. Если немного включить фантазию, слышались голоса, звон посуды — на ферме, в трех километрах к востоку, накрывали ужин... А потом вдруг все разом чернело, смолкало. Делалось страшным.

И Настя оставалась наедине с пустым, чужим

домом. И с тем страшным неуправляемым человеком, кого она сама — добровольно! — выбрала себе в напарники.

Подвальные помещения обладали полной звукоизоляцией. Об этом Томский позаботился заранее — изучил вопрос и заказал самые современные материалы. Но Насте все равно казалось: она слышит стоны, проклятья, мольбы. Иногда (наверное, она тоже постепенно сходила с ума) видела тощие, в кровавых струпьях руки, что, непонятно каким образом, пробивались из-за наглухо забитых оконец, тянулись к ней.

Ей много раз хотелось просто сделать один телефонный звонок. В полицию.

Любой порядочный человек поступил бы только так. Спас, если это еще возможно, несчастных жертв. Вернул Томского в сумасшедший дом.

Но тогда, выходит, все было зря?

И она снова будет никто, нищая, ноль? Да к тому же — *соучастница?!*

Настя теперь часто вспоминала такие далекие юные годы. Когда она, решительная и молодая, мечтала женить на себе талантливого программиста Мишеньку. Ох, рассказать бы кому, насколько причудливо сбываются иногда мечты...

Она давно перестала по ночам спать. Слишком много кошмаров навалилось.

Самый страшный: Томский наконец выполнил свою миссию — там, в подвале. И теперь с топором (или что он выберет?) направляется расправляться с ней. Помощницей и свидетелем.

Запирала накрепко дверь, сидела у окна, глушила литрами крепкий испанский кофе... но иногда в голове все начинало кружиться, раскачиваться, плыть... она засыпала. Ненадолго, тревожно. И сегодня тоже сдалась усталости. Заснула.

Но очень быстро ее разбудил резкий скрежет.

Вздрогнула, подскочила, опрокинула чашку. В ужасе оглянулась на дверь — никто не ломится. Только потом посмотрела в окно.

Томский. Во мраке ночи серый, сутулый, страшный. Бредет по двору, словно вслепую, словно сам только выбрался из могилы.

Отпер замок гаража. Створки страшно загрохотали в звенящей горной тишине. Через минуту взревел мотор.

Сердце Насти наполнилось ужасом.

В гараже у них стояли два автомобиля. Один, «Пежо», взяли, по официальным документам, напрокат. Второй, старый «Фольксваген»-фургон, Томский купил на свалке.

Тоже долго сидел за компьютером, изучал вопрос. Выяснил: автомобильное старье, что отправляют на утилизацию, уничтожают не все и не сразу. Иногда местные кулибины собирают из множества развалин нечто очень даже ездящее. И (безо всяких, конечно, бумаг) сбывают с рук.

Иностранца, сказал ей тогда Томский, к подобной сделке и близко не подпустят. «Но ты, Настя, у нас девушка видная, по-испански болтаешь свободно, вот и найди *мачо,* кто подарит тебе такую машинку. Ну, или продаст».

Она, разумеется, стала горячо возражать: что

это очень опасно и она никогда в жизни, но Томский перебил уже привычным:

— Двадцать тысяч евро тебя устроит?

И она (опять привычно) согласилась.

И вот теперь страшный черный фургон медленно выплыл из гаража.

Выключать двигатель Томский не стал. Выпрыгнул из кабины, спустился в подвал. Через минуту вернулся с большим пластиковым мешком. Швырнул его в салон. Ушел опять. Принес еще одну страшную емкость — размером поменьше.

Захлопнул двери фургона и выехал со двора.

На окно, откуда с ужасом наблюдала Настя, даже не взглянул.

В ночи дико вскрикнула выпь, далеко в горах прогрохотал камнепад.

«Я еще могу позвонить, — отчаянно думала Настя. — Если я позвоню... они его остановят уже в Капилейре!»

Но руку, что тянулась к телефону, словно парализовало.

А вот сумочка, где лежали ключи от «Пежо», паспорт и кредитные карты, прыгнула в руку сама.

Анастасия выждала, когда рев «Фольксвагена» окончательно растворится в ночи, и побежала в гараж.

«Прощай, Томский, и делай теперь что хочешь. Спасибо, что не стал убивать.

У меня есть шанс в третий раз начать новую жизнь.

Я никогда не стану счастливой, но хотя бы деньги у меня теперь есть».

* * *

Сева давно уже был в раю. Пах рай почему-то детским садиком — сладкой кашей, мочой, пластиковыми ведерками. И еще очень жарко было. Ну да. Райские кущи. Это вам не Арктика. В ушах приятно жужжало. Пчелы. Собирают мед с чайных роз. Изредка накрывала тошнота, но не раздражающая, а приятная. Словно объелся пряников или конфет.

А потом вдруг запахло морем. Воздух свободы. Нет, не так. *Воздух свободной Европы!* Как он был в ней счастлив...

Дальше вдруг: металлический скрежет. Приятное покачивание, словно в колыбели, прекратилось. Он по-прежнему ничего не видел. Только чувствовал — сильные руки схватили, швырнули. Грубо, сильно, но на мягкое.

Тишина. Шорох моря. Полная темнота.

Потом рядом — плюх! — свалилось еще что-то.

Взревел мотор, мерзко завоняло выхлопными газами. А дальше — только плеск моря. Накатилась волна — ушла. Накатилась — ушла. И еще, и еще...

Сева осмелился пошевелиться. Руки двигались. Он дернулся, попытался разорвать свой пластиковый кокон — и все получилось. В один прием, легко.

Он сидел — по пояс — в черном пластиковом мешке. Перед ним шумело море. Рядом — валялась его же борсетка. Он брал ее — когда? В прошлой жизни? Да. На концерт фламенко...

Небо пока что было серым, ночным, но на востоке уже проглядывала розовая полоска.

Начинался рассвет. Рассвет не в раю — на планете Земле. Рассвет в обычной жизни, с которой он давно попрощался. Рассвет, черт возьми! И море, и жизнь! Раны на теле аккуратно заклеены пластырем. Кровь не идет. Голова соображает. Он свободен!

Но у Севы даже не было сил разрыдаться.

* * *

В этот раз Хуан надумал ночевать в апельсиновой роще. Тишина, ароматы. А если совсем развезет, кислятиной, что растет на деревьях, и закусить можно.

Он выбрал апельсиновый ствол пошире да поглаже, привалился к нему спиной, укрыл ноги рваным пледом (всегда с собой таскал, для уюта) — и приступил к действу.

Черные капли рома в черной ночи. Звезды и одиночество. Одуряющий запах апельсинов. Хуан называл себя эстетом — и никогда не пил где-нибудь на помойках.

Но ровно в тот момент, когда бархат неба и нектар рома сплелись в абсолютную гармонию, тишину ночи взорвал омерзительный трескучий звук.

Какая сволочь ездит здесь на машине? Да еще явно прорывается сквозь деревья, с треском ломает ветки?

Хуана трусом не назовешь, но с полицейскими дела иметь не хотелось. Потому торопливо закрыл бутылку, бросил ее в сумку. Уложил туда же верный плед. Но сматываться не стал. Прежде надо посмотреть, что там такое.

Звук мотора затих.

Бездомный подошел поближе.

Los locos[1], зачем было вламываться в апельсиновую рощу на огромном «Фольксвагене»?!

Уже готов был выйти из тьмы и заорать, но увидел черную фигуру, что выпрыгнула с водительского места, и предпочел остаться в тени.

Оказалось, правильно сделал.

Потому как дальше водила в низко надвинутой на глаза шапочке открыл заднюю дверь и выволок на землю пластиковый мешок.

Труп?!

Хуан облился ледяным потом.

Нет, шевелится.

Он прищурился. Вот из мешка голова показалась, голые плечи, грудь... Баба! Да еще старая!

Хуан перекрестился и начал медленно отступать.

А водитель «Фольксвагена» вернулся в свой рыдван и попер дальше — ломались ветки, разлетались в стороны апельсины.

По счастью, безумие длилось недолго. Минут через пять шум стих. А еще через две округу потряс такой сильный взрыв, что весь ром и вся гармония немедленно вышли наружу.

Перепуганный, жалкий, на ходу вытирая рвоту, Хуан бросился было прочь. Но проявил благородство, вспомнил про бабу. Вернулся, увидел.

---

[1] Психи *(исп.)*.

Она — голая, зато с сумкой! — тоже улепетывала со всех ног.

Хотя старенькая, а бежала резво.

Да еще и выкрикивала что-то — по-русски.

Хуан неодобрительно покачал головой.

В последнее время понаехало этих бывших советских немало, и от них, он считал, в Испании все беды.

Даже выпить спокойно не дадут.

* * *

Утро в Гранаде пахло рыбой и горячими булками. А еще (Томский чувствовал совершенно отчетливо) в воздухе ощутимо витали ароматы — нестираных носков и потных футболок. Сначала было решил — привычно — галлюцинация. Обонятельная. А потом заметил: пешком, бегом, на мопедах по городу мчатся студенты. Красноглазые, встрепанные, с перегарчиком. Сразу видно: развлеклись ночью отменно, даже вымыться-переодеться времени не нашлось. От них и воняет. Зато честно спешат в свои альма-матер, умники.

Томский (его футболка тоже была не самая чистая) почувствовал себя в утренней толпе еще больше своим. Остановился у уличного лотка, навернул горячих креветок из треугольного, хрустящего пакетика. Обжег губы кофе.

Солнце припекало жарче, асфальт горячел, обволакивал маревом. Михаил бездумно толкался в утренней толпе и пытался понять: *хорошо ему? Или плохо?*

Вдруг увидел: впереди мелькнули двое. Очень знакомые. Худая, нескладная, чуть похожая на циркуль женщина вела за руку девочку лет восьми. С золотистыми косичками.

Михаил ускорил шаг, обогнал, обернулся. *Испанки* — мать и ребенок — вежливо ему улыбнулись. Ничего знакомого в их лицах. И у него на душе — ни страха, ни тоски.

И никаких галлюцинаций.

Дьявол, неужели Настя оказалась права?! Эта красивая, никчемная, полностью ему подвластная кукла подсказала правильный путь?!

Прости врага — и излечишься сам?!

Томский резко остановился. Еще один уличный лоток, в девять утра продают горячее вино. Пить ему нельзя. Тем более рано утром. Но купил большой стакан, хватанул залпом. В голове приятно зашумело.

Где вы, неизбежные, верные спутники опьянения? Злость, ненависть, бессилие?

Прислушался к ощущениям, превратил всего себя в мощный локатор — и расхохотался. Потому что вдруг представил Севку, израненного, голого, полностью седого — и не гнев накатил, но жалость.

Да, не мститель ты, Томский. Не граф Монте-Кристо. Не смог пойти до конца.

Михаил танцующей походкой пошагал дальше. Отчего-то казалось: весь его сегодняшний путь по утренней Гранаде не случаен, но предопределен свыше.

И точно: вдруг, в конце извилистой улочки, он увидел вывеску: Internet-Cafe.

Толкнул скрипучую дверь, вошел в полумрак. Парень с длинной цыганской серьгой в левом ухе лениво поднялся от стойки, снисходительно вскинул бровь:

— Сеньор желает Интернет?

Презрительно-жгучие очи посмеивались: «В ваши годы надо газетки в шезлонге читать».

Но провел к убогенькой, старой машине.

Томский не подумал, что будет благоразумнее притвориться лохом — сразу занялся делом. Минут через десять случайно обернулся — и наткнулся на взгляд хозяина кафе. Тот так и стоял за его спиной, полностью завороженный сумасшедшей гонкой цифр на мониторе. Рот разинут, глаза дикие.

— Ha ido al Diablo![1] — рявкнул на него Михаил.

Парень сразу скукожился, засеменил прочь. Томский расслышал: «El genio!»

Обычно комплименты были безразличны. А сейчас было приятно.

И еще приятно, что комп (незнакомый, маломощный, убогий) стал подвластен ему — еще больше, еще полнее. Севкина кровь придала сил? Или, наоборот, не кровь, но милосердие?

Пятнадцать минут — и пройдены все степени защиты.

Михаил увидел на мониторе свой дом.

Свой самый любимый, самый лучший в мире дом.

---

[1] Пошел к черту! *(исп.)*

Общий план. Развеваются, ловят утренний бриз занавески. Рвется с крыши, словно хочет взлететь, флюгер. Разбиваются о скалы, ждут его волны.

Сад ухожен, цветы улыбаются солнцу.

Михаил идет дальше. Внутрь.

Начинает, конечно, со своей любимой гостиной — капитанской рубки. Он не был здесь почти месяц. С тех пор, как вплотную подобрался к врагам.

В комнате ничего не изменилось. В окна рвется морская синева. В их с Кнопкой любимом графине с блошиного рынка — лимонад с кусочками льда.

В кресле, где они когда-то так любили сидеть вдвоем с женой, — женщина. Арендаторша. Успела отлично загореть, глаза веселые, искрятся.

А перед ней танцует девочка. Того же возраста, как его Лена.

В том самом дочкином *любимом бальном платье.*

...В пакете опций «умного дома» есть одна, необходимая — на случай чрезвычайных обстоятельств. Даешь команду — и огромные окна разлетаются на мириады осколков. Причем полетит стекло *внутрь*. Раздерет все к черту.

Или еще вариант. Если кондиционер сильно перегреется, неминуемо последует взрыв. Второму этажу конец. И этим двоим, конечно, тоже.

Ярость на мгновение взлетает до горла, готова пролиться горечью, рвотой.

Но девочка в бальном платье делает неумелый батман, мама ей восторженно аплодирует...

И Михаил вдруг улыбается.

Какие, собственно, проблемы?

Пусть пока танцуют.

Сева подписал признание, что подделал его подпись на доверенности. Оспорить сделку, доказать, что дом продан незаконно, будет совсем не сложно.

Михаил, конечно, выиграет судебный процесс. И рай снова будет принадлежать ему.

А эти мама с дочкой... Они даже по-своему милые.

Решено.

Он полетит — в Болгарию. Встретится с ними. Выпьют вместе по чашке чаю. Любопытной, пытливой девочке Михаил покажет, что еще *умеет* его чудо-дом.

Ее маме объяснит, почему он сжег ее клубничный пирог.

А потом попросит оставить его одного и выйдет в сад. Туда, где Леночка оставила отпечаток ладошки на свежем бетоне. А он уверенной рукой написал: «Счастливы вместе».

Настоящего рая — на небе — наверное, нет.

Но его собственный рай — на земле — еще остался.

Литературно-художественное издание

ЗНАМЕНИТЫЙ ТАНДЕМ РОССИЙСКОГО ДЕТЕКТИВА

Литвинова Анна Витальевна
Литвинов Сергей Витальевич

ИЗГНАНИЕ В РАЙ

Ответственный редактор *А. Антонова*
Редактор *М. Красавина*
Художественный редактор *С. Груздев*
Технический редактор *О. Лёвкин*
Компьютерная верстка *Е. Кумшаева*
Корректор *Е. Холявченко*

ООО «Издательство «Э»
123308, Москва, ул. Зорге, д. 1. Тел. 8 (495) 411-66-86; 8 (495) 956-39-21.

Өндіруші: «Э» АҚБ Баспасы, 123308, Мәскеу, Ресей, Зорге көшесі, 1 үй.
Тел. 8 (495) 411-68-86; 8 (495) 956-39-21.
Тауар белгісі: «Э»
Қазақстан Республикасында дистрибьютор және өнім бойынша арыз-талаптарды қабылдаушының өкілі «РДЦ-Алматы» ЖШС, Алматы қ., Домбровский көш., 3«а», литер Б, офис 1.
Тел.: 8 (727) 251-59-89/90/91/92, факс: 8 (727) 251 58 12 вн. 107.
Өнімнің жарамдылық мерзімі шектелмеген.
Сертификация туралы ақпарат сайтта Өндіруші «Э»

Сведения о подтверждении соответствия издания согласно законодательству РФ о техническом регулировании можно получить на сайте Издательства «Э»

Өндірген мемлекет: Ресей
Сертификация қарастырылмаған

Подписано в печать 30.07.2015. Формат 84х108 1/32.
Гарнитура «Ньютон». Печать офсетная. Усл. печ. л. 18,48.
Тираж 18 000 экз. Заказ 5448.

Отпечатано с готовых файлов заказчика
в АО «Первая Образцовая типография»,
филиал «УЛЬЯНОВСКИЙ ДОМ ПЕЧАТИ»
432980, г. Ульяновск, ул. Гончарова, 14

Оптовая торговля книгами Издательства «Э»:
142700, Московская обл., Ленинский р-н, г. Видное,
Белокаменное ш., д. 1, многоканальный тел.: 411-50-74.

По вопросам приобретения книг Издательства «Э» зарубежными оптовыми покупателями обращаться в отдел зарубежных продаж
International Sales: International wholesale customers should contact Foreign Sales Department for their orders.

По вопросам заказа книг корпоративным клиентам, в том числе в специальном оформлении, *обращаться по тел.: +7 (495) 411-68-59, доб. 2115/2117/2118; 411-68-99, доб. 2762/1234.*

Оптовая торговля бумажно-беловыми и канцелярскими товарами для школы и офиса:
142702, Московская обл., Ленинский р-н, г. Видное-2,
Белокаменное ш., д. 1, а/я 5. Тел./факс: +7 (495) 745-28-87 (многоканальный).

Полный ассортимент книг издательства для оптовых покупателей:
В Санкт-Петербурге: ООО СЗКО, пр-т Обуховской Обороны, д. 84Е.
Тел.: (812) 365-46-03/04.
В Нижнем Новгороде: 603094, г. Нижний Новгород, ул. Карпинского, д. 29,
бизнес-парк «Грин Плаза». Тел.: (831) 216-15-91 (92/93/94).
В Ростове-на-Дону: ООО «РДЦ-Ростов», пр. Стачки, 243А.
Тел.: (863) 220-19-34.
В Самаре: ООО «РДЦ-Самара», пр-т Кирова, д. 75/1, литера «Е».
Тел.: (846) 269-66-70.
В Екатеринбурге: ООО«РДЦ-Екатеринбург», ул. Прибалтийская, д. 24а.
Тел.: +7 (343) 272-72-01/02/03/04/05/06/07/08.
В Новосибирске: ООО «РДЦ-Новосибирск», Комбинатский пер., д. 3.
Тел.: +7 (383) 289-91-42.
В Киеве: ООО «Форс Украина», г. Киев,пр. Московский, 9 БЦ «Форум».
Тел.: +38-044-2909944.

Полный ассортимент продукции Издательства «Э» можно приобрести в магазинах «Новый книжный» и «Читай-город».
Телефон единой справочной: 8 (800) 444-8-444.
Звонок по России бесплатный.

В Санкт-Петербурге: в магазине «Парк Культуры и Чтения БУКВОЕД»,
Невский пр-т, д.46. Тел.: +7(812)601-0-601, www.bookvoed.ru/

Розничная продажа книг с доставкой по всему миру.
Тел.: +7 (495) 745-89-14.

ISBN 978-5-699-82688-9

пересчитать... в машине приборчик есть, проверить, не фальшивые ли...

И еще одного не учел: ночью автобусы не ходили. Ловить на загородном шоссе такси, когда у тебя с собой пять миллионов долларов, было страшно, а брести пешком до Мытищ через лес получилось долго.

...В итоге Сева набрал телефон Георгия только в четыре утра.

* * *

Жорик еле удержался, чтобы, как в день похищения, не начать пить прямо в машине. А чего? Тогда все нормально прошло. Доехал без проблем. Можно и сейчас отметить удачное завершение дела. Вискарь у него припасен.

Но только сейчас ведь заказчик звонить начнет, указания раздавать.

Он вообще мужик нормальный, но суетный. Заполошный, как баба. И вечно крутит, вертит, сложности создает. Вот как сейчас с деньгами. Нет бы просто встретиться в укромном местечке, забрать чемоданчик. Так нет, затеял шпионскую передачу в глухом лесу.

А еще велел телефон выкинуть, по которому раньше созванивались. Вместо него теперь другой. Лежит на сиденье, молчит. Ну давай, Севка, звони! Говори, куда мою долю денег привезешь.

В том, что Сева его не обманет, Жорик не сомневался. Он ведь тоже не совсем дурак. Шефу сразу сказал: пусть только попробует кинуть, он его сразу сдаст. Зацепок до черта. Жорик и номе-